Testi e disegni: Luca Novelli
Progetto grafico: Studio Link (www.studio-link.it)

Referenze iconografiche:
CERN: p. 125c;
Fotolia: p. 128 © yevgeniy11;
NASA: p. 109bd;
Salvatore Mirabella: pp. 5ad, 53ad, 56ad;
Luca Novelli: pp. 15d, 16s, 24s, 25b, 25c, 26bs, 30bs, 31ad, 33a, 34-35b,
35ad, 41a, 43a, 44-45, 46a, 89ad, 103bd, 106bs, 107b.

www.editorialescienza.it
www.giunti.it

© 2013 Editoriale Scienza srl
via Bolognese, 165 – 50139 Firenze – Italia
via Beccaria, 6 – 34133 Trieste – Italia
Prima edizione: ottobre 2013

Ristampa	Anno
8 7 6 5 4 3 2	2019 2018 2017 2016 2015

Stampato presso Giunti Industrie Grafiche S.p.A.
Stabilimento di Prato

I LAMPI DI GENIO NON FINISCONO MAI

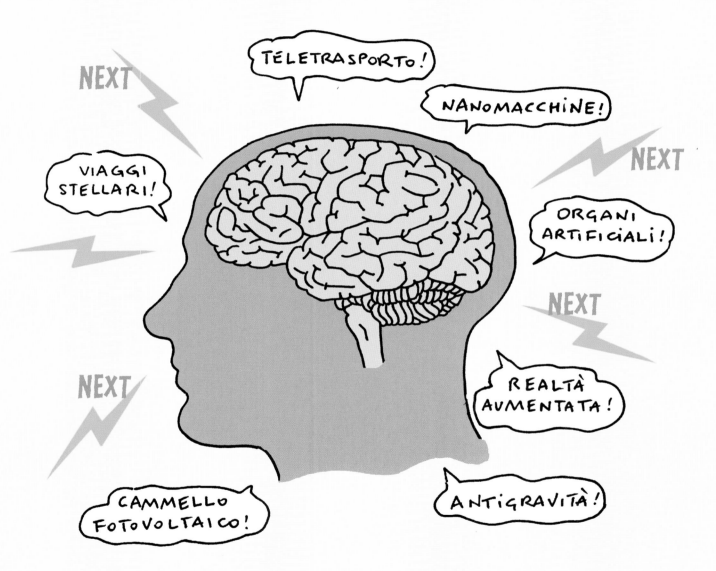

DIZIONARIETTO

*Se un'idea all'inizio non è un po' assurda
non ha alcuna speranza di diventare una grande idea.*
Albert Einstein

Acciaio

Lega di ferro e carbonio. Lampo di genio di un fabbro di 3200 anni fa. Scoperta fatta battendo il ferro finché era caldo. ▶ p. 40

Aeroplano

Mezzo di trasporto più pesante dell'aria che si sostiene… volando. Il lampo di genio è dei fratelli Wright. ▶ p. 108

Agricoltura

Arte e pratica della coltivazione della terra. Un lampo di genio magico: si sotterra il cibo (un chicco di grano o d'orzo) e da questo nasce una pianta che dà il cibo moltiplicato venti, trenta volte. ▶ p. 34

Acido solforico

Acido fortemente corrosivo. Scoperto da un alchimista medioevale mentre cercava la Pietra Filosofale. Chi cerca trova sempre qualcosa. ▶ p. 54

Antigravità

Da sempre aleggia l'idea di far funzionare motori o congegni attingendo alla forza di gravità, la forza più potente dell'Universo. Il segreto è all'interno degli atomi. Prima o poi qualcuno avrà il lampo di genio.

Archimede

Ingegnere-filosofo vissuto a Siracusa 2200 anni fa. Gli è attribuita una lunga serie di indiscutibili lampi di genio. Continuava a dire in greco: "Ho trovato! Ho trovato". ▶ p. 55

Arco

Lampo di genio di un cacciatore di 40 000 anni fa. Lo realizzò in legno e tendini di animale. Poi qualcuno, guardando il suo arco, ebbe il lampo di genio di inventare… il trapano ad arco, per far buchi nel legno o accendere il fuoco.

Ascensore

L'antenato degli ascensori di oggi era a vapore ed è stato installato nel 1857 a New York. Lampo di genio di un fabbricante di letti, Elisha Graves Otis, ha consentito la costruzione dei primi grattacieli. Il prossimo lampo di genio sarà un ascensore antigravitazionale.

Automobile che si guida da sola

Per definizione è un carro che si muove da solo, ovvero senza essere trainato da animali o mosso da pedali. La prima automobile è stata "a molla", lampo di genio di Leonardo da Vinci. L'ultima versione è un'auto robotica che va dove si vuole senza bisogno di guidarla.

Autorespiratore

Progettato da Leonardo da Vinci per consentire a un uomo di rimanere a lungo sott'acqua e bucare la chiglia delle navi nemiche. Realizzato e poi reso di largo uso intorno al 1930 da Jacques-Yves Cousteau.

Bicicletta

Lampo di genio a due ruote. È nata nel 1816 senza sella e senza pedali, come giocattolo per ricchi, con il nome di "draisina". Solo nel 1888 diventata simile alla bicicletta che conosciamo. Anche se un disegno (molto probabilmente falso) ne attribuisce l'invenzione addirittura a Leonardo.

Birra

Un giorno di 6000 anni fa, nell'antica Mesopotamia, una minestra d'orzo dimenticata in un vaso di terracotta fermenta allegramente. Invece di buttarla via, qualcuno ha il lampo di genio di assaggiarla. Ed è subito birra.

Cerniera lampo

Il lampo di genio è dello svedese Gideon Sundback, naturalizzato statunitense. Dopo la morte della moglie il suo abbigliamento tendeva a essere sempre più trasandato. La sua "allacciatura senza uncini" poteva migliorare la situazione. Allo scoppio della Prima Guerra Mondiale la Marina degli Stati Uniti gli ordinò migliaia di pezzi.

Cannocchiale

Brevettato dall'olandese Hans Lippershey. Galileo lo costruisce "per sentito dire" e ha il lampo di genio di rivolgerlo verso il cielo per vedere le stelle. ▶ p. 66

Computer

Il lampo di genio è del professor Babbage. Ma lo pensava meccanico e mosso a mano o da un motore a vapore. Oggi sono sempre più piccoli, alcuni così piccoli da avere componenti grandi come molecole. ▶ p. 110

Cammello fotovoltaico

Frigorifero alimentato da pannelli solari montato su cammelli. Il lampo di genio è di un venditore egiziano di bibite fresche per turisti, subito copiato da molti suoi colleghi.

Condizionatore sostenibile

Nel 1851, nel Sud Carolina, il dottor John Gorrie brevetta una macchina del ghiaccio utilizzabile anche come condizionatore d'aria. Il suo scopo era di curare certe malattie causate dal troppo caldo. In realtà per farla funzionare si sudava parecchio, oppure si doveva farla muovere da un cavallo o da un mulino a vento.

Dinamo

Lampo di genio di Michael Faraday. Il suo congegno consisteva in un semplice disco di rame che si faceva muovere in un campo magnetico. Si creava così una corrente elettrica. Tutte le biciclette hanno una dinamo. Quasi tutta l'elettricità che usiamo è prodotta tramite dinamo.

▶ p. 85

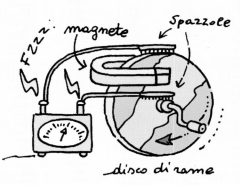

Evoluzione

Grande idea di Charles Darwin. Anche se tuttora qualcuno trova seccante la nostra parentela con le scimmie.

▶ p. 88

Etologia

Scienza che studia il comportamento degli animali e fa qualche ragionevole confronto con quello degli umani. Come scienza è nata da un lampo di genio di Konrad Lorenz mentre osservava le oche selvatiche e gli altri animali che popolavano il suo giardino.

▶ p. 18

Fingerprinting

Metodo che consente di identificare il DNA presente sul luogo di un evento criminale o di un disastro di massa. La polizia di tutto il mondo ora lo usa accanto alle tradizionali impronte digitali.

▶ p. 121

Foglie artificiali

Utilizzano l'energia solare per trasformare l'acqua in ossigeno e idrogeno, gas che si può usare come combustibile ecologico e non inquinante.

Forno a microonde

Mentre sta collaudando un sistema radar, Percy LeBaron Spencer si accorge che la tavoletta di cioccolato che aveva in tasca si è sciolta. La causa è l'apparecchio che emette microonde. Prova a usarlo per produrre popcorn e cuocere un uovo. Quest'ultimo gli esplode in faccia.

Frigorifero a vapore

James Harrison lavora in Australia come tipografo e giornalista. Pulendo i caratteri tipografici si accorge che se fa cadere una goccia di etere sul pezzo di piombo, l'etere evapora e il metallo diventa gelido come ghiaccio. L'evaporazione sottrae calore all'ambiente circostante! Si documenta e scopre che il gas di etere – se viene compresso – diventa liquido facilmente. Quindi costruisce una macchina del ghiaccio. Un compressore (mosso da un motore a vapore) comprime e trasforma il gas in liquido, il liquido viene poi lasciato evaporare, portando sotto zero la temperatura di un contenitore pieno d'acqua, che si solidifica e diventa ghiaccio. Il gas espanso viene compresso, ritorna liquido e viene rimesso in circolo. È il 1850 e quello di Harrison è il primo frigorifero commerciale della storia.

Fuoco

Catturato e alimentato come un animale feroce da un nostro antenato più coraggioso dei suoi coetanei.
▶ p. 20

Geometria

Nata per misurare lunghezze, aree e volumi è poi diventata uno dei mezzi più potenti per rappresentare le leggi che regolano i fenomeni naturali. Funziona tuttora, anche dentro i computer. La sua pratica ha favorito molti lampi di genio.
▶ p. 52

Geni

Porzioni di DNA che contengono l'informazione per esprimere un carattere ereditario. Chi ha il lampo di genio di scoprirne l'esistenza e il funzionamento è Gregor Mendel, monaco agostiniano di Brno.
▶ p. 116

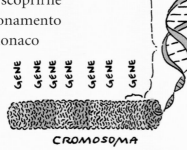

Ghiacciolo

Il lampo di genio è di un ragazzo undicenne di San Francisco, di nome Frank Epperson. In una notte gelata dimentica sul davanzale della finestra un bicchiere di limonata con dentro il bastoncino che aveva usato per mescolare. Al mattino Frank libera la limonata gelata facendo scorrere acqua calda sul bicchiere e comincia a mangiare il primo "ghiacciolo". Frank brevetta il suo sistema nel 1923.

Graffiti

Incisioni e pitture sulla pietra che raffigurano uomini e animali. Alcuni risalgono a più di 40 000 anni fa. È la prima forma d'arte e comunicazione visiva nonché il primo mass media della storia.

▶ p. 23

Gravità

La legge che la determina è frutto di un lampo di genio di Isaac Newton e della caduta di una mela accanto a lui. Ma era una sola?

▶ p. 68

Igiene

Nel secolo XIX in Europa lavarsi era facoltativo, persino negli ospedali. Il dottor Semmelweis ebbe un lampo di genio e invitò i medici a lavarsi le mani, ma fu preso per matto.

▶ p. 95

Intelligenza

Capacità e volontà di risolvere i problemi. Non tutti ce l'hanno.

▶ p. 16

Internet

Nasce per risolvere un problema interno al CERN (Organizzazione Europea per la Ricerca Nucleare): tutti gli scienziati del centro devono avere la possibilità di accedere alle scoperte degli altri. Così il dottor Berners-Lee ha il lampo di genio di mettere tutti i loro computer in rete. Altri centri si aggiungono e la rete diventa velocemente più grande, sempre più grande fino a raggiungere il mondo intero.

▶ p. 114

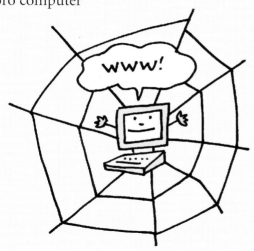

Invisibilità

Quella parziale è già stata raggiunta con vari sistemi di mimetismo. A quella totale ci sanno lavorando vari centri di ricerca militare, con tessuti in grado di replicare l'immagine dell'ambiente circostante.

Lavastoviglie

Josephine Garis è una casalinga americana che odia lavare i piatti o vederli maltrattati da altri. Così progetta una specie di canestro metallico con tanti scompartimenti che possono ospitare piatti e tazze. Il canestro è posto in una caldaia di rame. Un motore muove il canestro mentre l'acqua calda irrora le stoviglie. È una delle prime applicazioni pratiche del motore elettrico: Josephine Garis la brevetta nel lontano 28 dicembre 1886. Solo negli anni Cinquanta del '900 entrerà nelle case degli americani. Ma l'azienda da lei fondata non è mai morta. Ora è di proprietà della Whirlpool Corporation.

Lavatrice

Il lampo di genio è di un insegnante di teologia e scienze naturali di Ratisbona, vissuto nel Settecento e preoccupato della pulizia dell'università dove lavorava. Il primo modello elettrico è del 1906, costruito da un inventore di Chicago.

Linguaggio

Facoltà di comunicare con gli altri con gesti, suoni e parole. È un lampo di genio dell'*Homo sapiens*.

▶ p. 22

Luce elettrica

L'ha resa possibile dappertutto Thomas Alva Edison, inventore di tutto e di più. Da quando ha brevettato la sua lampadina (nel 1879) i lampi di genio sono spesso rappresentati da una lampadina che si accende.

▶ p. 98

Macchina per vedere i sogni

Gli studi sul cervello riservano continue sorprese. I ricercatori hanno individuato aree dove si conservano i ricordi e le immagini. Ma c'è moltissimo da scoprire e, tra le tante possibilità, anche vedere e rivedere i sogni.

Mese

Suddivisione dell'anno, di durata abbastanza vicina al tempo che impiega la Luna a percorrere un'orbita attorno alla Terra (poco più di 29 giorni e mezzo). ▶ p. 26

Metodo Scientifico

È la grande idea di Galileo. Una cosa è vera (e una teoria è valida) se si può dimostrare con un esperimento ripetibile.
Altrimenti è…
un miracolo. ▶ p. 66

Microbi OGM

Si tratta di aggiungere a un microbo un segmento di DNA, ovvero un gene, di un organismo animale o vegetale. Il primo è stato un batterio al quale è stato inserito il gene umano dell'insulina. Da quel giorno milioni di batteri suoi discendenti producono insulina a scopo medicinale. ▶ p. 121

Motore a vapore

Lo inventa Erone nel III secolo a.C. ma nessuno ci fa caso (vedi p. 54). Lo reinventa al momento giusto Newcomen. Farà ricco James Watt, che brevetta il suo modello nel 1769. Dopo di lui il mondo è andato a tutto vapore! ▶ p. 72

Musica

Arte dell'organizzazione dei suoni nello spazio e nel tempo. La musica del futuro è tutta da inventare e costellata da lampi di genio.
▶ p. 28

Nanomacchine

Macchine per tutti gli usi grandi come microbi o macromolecole. Si possono costruire creando DNA artificiale o sintetizzandole chimicamente.

Organi artificiali

Possono essere allevati in provetta a partire da cellule staminali del paziente che ha bisogno di un organo di ricambio. In qualche caso l'organo potrà crescere direttamente nel corpo, come è già stato fatto con parti della pelle.

Pallone elettrico

Giocando e prendendolo a calci produce e accumula elettricità sufficiente a far funzionare una lampada led per tre ore. Il prototipo è stato realizzato con il sostegno della Fondazione di Bill Clinton (ex presidente degli Stati Uniti). Scopo dell'oggetto era dimostrare che basta poco per produrre energia senza inquinare e senza consumare combustibili.

Parafulmine

Lampo di genio di Benjamin Franklin che per sua fortuna non fu mai colpito dai fulmini che inseguiva, prima di inventarlo. ▶ p. 80

Pila

Lampo di genio di Alessandro Volta che copiò gli organi elettrici di un pesce: la torpedine. Con la pila inizia l'era dell'elettricità.
▶ p. 82

Placche (teoria delle)

I continenti si muovono, anzi le placche di cui fanno parte galleggiano sul magma sottostante. L'intuizione è di Alfred Wegener, che però non fu preso sul serio per parecchi decenni. ▶ p. 90

Plastica

L'era della plastica inizia con una buona azione a favore degli elefanti. John Wesley Hyatt la pensa come surrogato dell'avorio per fare palle da biliardo. ▶ p. 106

Pressione dell'aria

C'è ed è fortissima attorno a noi. Ne dimostra l'esistenza Otto von Guericke. Evangelista Torricelli la misura.
▶ p. 71

Razzo

Non ha bisogno dell'aria per volare e viaggia anche nel vuoto interstellare. Grazie alla terza legge di Newton ci può portare su Marte e sulla Luna. Parola di Von Braun.
▶ p. 68/109

Realtà aumentata

Sistemi che consentono di vedere, sentire e toccare, attraverso un telefonino o un computer più cose di quante possiamo percepire con i nostri sensi.

ETÀ 17 ANNI
PESO 47 KG
TEMPERATURA 35 C°
BATTITI CUORE 88/MINUTO

Relatività

Lampo di genio e teoria di Albert Einstein secondo la quale il tempo è relativo a cosa si fa e dove si è. ▶ p. 123

Ruota

Lampo di genio di un vasaio sumero di 6000 anni fa. ▶ p. 42-43

Ruota serbatoio

Lampo di genio di un giovane designer che l'ha progetta per alleviare la fatica di chi deve percorrere chilometri di deserto per raggiungere il pozzo d'acqua più vicino. Il serbatoio-ruota può essere fatto rotolare fino a casa.

Scrittura

Rappresentazione grafica di una lingua. Fu introdotta dai Sumeri per scopi pratici e commerciali. ▶ p. 44

SONO IL CONTO DA PAGARE!

Serendipità

Fare una scoperta straordinaria o avere una grande idea, mentre si cerca qualcosa d'altro. Tantissimi lampi di genio si hanno per serendipità. ▶ p. 10

Sintetizzatore di cibo

L'idea si trova nella serie Star Trek. È in fase sperimentale per i viaggiatori spaziali. Con molecole semplici si possono già sintetizzare biscotti e c'è già chi sta cercando di sintetizzare la pizza.

NEXT

CARBONIO
METALLI
FZZZZZ!
O₂ H₂
N₂
BZZZZ
ACQUA
PIZZA!

Stetoscopio

Strumento in dotazione a tutti i medici per ascoltare i rumori del cuore e dai polmoni. Lampo di genio di René-Théophile-Hyacinthe Laennec, che voleva ovviare al suo imbarazzo quando doveva avvicinare troppo il suo orecchio al petto di giovani pazienti.

TUMP TUMP

Surgelati

Lampo di genio di un giovanotto di Brooklin, Clarence Birdseye, naturalista del governo USA, inviato in Labrador, nell'estremo nord del continente americano. Pescando con gli Inuit, con temperature che raggiungono anche - 40 °C, si rende conto che quando un pesce vivo è estratto dall'acqua… surgela immediatamente e rimane ottimo fino a quando non si decide di scongelarlo. Sono le bassissime temperature a mantenere inalterate le qualità del pesce. Torna a New York e dopo vari esperimenti nel 1922 fonda la prima azienda di surgelati.

Teletrasporto

Invenzione fantascientifica, ma teoricamente possibile: si trasforma la materia in energia, l'energia si può trasmettere sotto forma di onde a un ricevitore, dove può essere ritrasformata nella materia d'origine. Qualcuno ha già teletrasportato delle particelle da una parte all'altra della Terra. Per le persone e le merci bisogna lavorarci.

SONO NONNO DI TANTI NIPOTINI!

Telefono

Lampo di genio di Antonio Meucci e Alexander Bell. Tutti e due con problemi di comunicazione con le rispettive mogli.
▶ p. 99. Prossimo passo dopo gli smartphone: la trasmissione del pensiero?

Tessitura

Arte dell'intreccio di fibre naturali e sintetiche. È un lampo di genio del tardo paleolitico. ▶ p. 38

Tessuti alla vitamina C

Idea di una giovane designer siciliana che ha ideato un tessuto prodotto con le fibre di scarto delle arance in grado – tra l'altro – di rilasciare vitamina C.

Velcro

È un tessuto sintetico con tanti piccoli uncini che s'incastrano in un altro tessuto complementare. Il lampo di genio è dell'ingegnere svizzero George de Mestral. Dopo una passeggiata in campagna aveva trovato il pelo del suo cane e i suoi abiti di lana pieni di lappole, piccoli frutti secchi che si attaccano al pelo con tanti uncini. Li ha copiati e ha inventato il velcro.

Viaggi interstellari

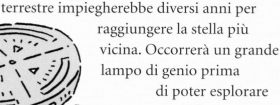

Anche andando alla velocità della luce, teoricamente la massima raggiungibile, un'astronave terrestre impiegherebbe diversi anni per raggiungere la stella più vicina. Occorrerà un grande lampo di genio prima di poter esplorare il cosmo e tornare a casa in tempi "ragionevoli".

A CASA... DOPO 3000 ANNI!

Viaggi nel tempo

Secondo la teoria della relatività l'Universo è curvo. Incurvandosi, passato e futuro potrebbero toccarsi in qualche punto permettendo di passare da un tempo all'altro. Anche qui occorrerà un grande lampo di genio per poter accedere a queste scorciatoie temporali.

PASSATO PRESENTE UNIVERSO

Vitamine

Favoriscono la crescita e il metabolismo. Se mancano, ci si ammala. Ma non mancano se si fa una vita sana e si mangia un po' di frutta e verdura. Il primo lampo di genio è di un medico di Sua Maestà Britannica. ▶ p. 79

SENZA CON VITAMINE

Wireless

Trasmissione di messaggi senza fili: sono state attribuite a un lampo di genio di Nikola Tesla (vedi p. 100). Chi le ha usate subito a livello mondiale è stato Guglielmo Marconi. Per riceverle ha usato persino grandi antenne-aquilone. ▶ p.102

Zattera

Natante realizzato legando insieme vari tronchi. Progenitrice di tutte le navi. Con zattere di legno di balsa i nostri antenati hanno attraversato gli oceani e hanno conquistato il mondo. ▶ p. 32

Creatività è saper mettere insieme le cose.
Jean Piaget

LA COLLANA LAMPI DI GENIO

Una serie di biografie di grandi scienziati – tutte scritte e disegnate da Luca Novelli – raccontate in prima persona. Il modo più divertente e coinvolgente per avvicinarsi alla scienza e per conoscere i grandi che hanno cambiato la storia dell'umanità. La collana ha vinto il premio Legambiente nel 2004.
La collana Lampi di genio è affiancata dalla "Novellina", *Dizionario illustrato di scienza*, con mille termini e mille disegni di scienza e natura. Dalla serie è nato anche il programma di Rai Educational "Lampi di Genio in tv", scritto e condotto da Luca Novelli, replicato su varie reti e disponibile su Internet.

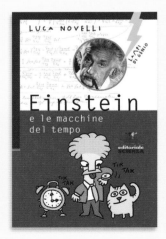

LUCA NOVELLI

Scrittore e disegnatore, è autore di libri di scienza e natura
tradotti in tutto il mondo. Collabora con la Rai, con il Centro
di Cultura Scientifica Alessandro Volta, con musei e università.
Come giornalista per dieci anni ha diretto G&D, periodico
di Grafica e Design. È stato premiato come miglior autore
di divulgazione per ragazzi, nel 2001 da Legambiente
e nel 2004 dal Premio Andersen. Le sue opere sono state
pubblicate in 20 lingue.

Altre notizie, immagini e link su Luca Novelli e i suoi libri:
www.lucanovelli.it

Newton
e la formula dell'antigravità

Mendel
e l'invasione degli OGM

Pitagora
e il numero maledetto

Lorenz
e il segreto di re Salomone

Galileo
e la prima guerra stellare

Ippocrate
medico in prima linea

Magellano
e l'Oceano che non c'era

Wegener
L'uomo che muoveva i continenti

COSA C'È IN QUESTO LIBRO

C'è una premessa dove si scopre che si può avere un lampo di genio anche senza tanto cervello

Ci sono 100 lampi di genio che hanno cambiato il mondo

VALGO MOLTO PIÙ DELL'ORO!

Dove si scopre che i lampi di genio
non finiscono mai

UN MONDO SENZA LAMPI?

Immaginate il nostro mondo senza televisione o telefono, senza automobili e lavatrici, ma anche senza numeri e alfabeto. Un mondo dove la Terra è ferma in mezzo all'Universo e il Sole le gira pigramente attorno. Un mondo senza elettricità, senza libri, senza l'idea di evoluzione e trasmissione dei caratteri ereditari. Un mondo senza computer, senza fuoco, senza ruote, senza agricoltura, senza sapone, salsa di pomodoro o patatine fritte. Un mondo senza igiene negli ospedali, senza anestesia o medicinali. Si può provare, ma sarebbe difficile. Qualcuno già impazzirebbe senza il suo telefonino.

Se la vita dell'uomo è cambiata, se si vive meglio e di più, è grazie ai grandi e piccoli lampi di genio di un certo numero di persone. Molte di queste persone sono rimaste sconosciute, altre sono entrate nella storia con innovazioni e oggetti che di fatto l'hanno cambiata di più delle conquiste di re e imperatori.

Non sempre i lampi di genio, ovvero le buone idee, sono attribuibili a una sola persona, anzi molto spesso sono… nell'aria. E non sempre il primo a concepirle ne ha goduto i benefici.

Poi ci sono i lampi di genio di tutti i giorni. I nostri piccoli lampi di genio. Quelli che risolvono una situazione, un problema tecnico, una giornata complicata, una crisi familiare o una gomma a terra nel posto sbagliato. Più lampi di genio si conoscono, più è probabile averne uno al momento opportuno, insomma è più probabile risolvere un problema in modo intelligente, sia se si finisce naufraghi su un'isola deserta, sia nel bel mezzo di una grande città. Insomma, tanti lampi di genio a tutti.

Luca Novelli

COS'È UN LAMPO DI GENIO

È UNA BUONA IDEA

Una "bella pensata". Una illuminazione, ovvero un pensiero utile a risolvere un problema o una situazione. Può essere improvviso, ma molto più spesso scaturisce durante uno studio o una ricerca. Nella maggior parte dei casi consiste nel mettere insieme in modo intelligente e inaspettato cose e idee che ci sono già.

UNA GRANDE IDEA

Un bell'esempio di lampo di genio è quello dei fratelli Montgolfier. Notano che l'aria calda del loro camino sale verso l'alto facendo salire anche frammenti di carta incenerita. Pensano così a un involucro di carta in grado di sollevarsi dal suolo spinto dall'aria calda. E costruiscono la loro prima… mongolfiera.

> *Spesso le idee si accendono l'una con l'altra, come scintille elettriche.*
> Friedrich Engels

PER CASO E NO

La storia della scienza e della tecnologia è piena di scoperte e di invenzioni fatte apparentemente per caso. La scoperta della radioattività (Henri Becquerel, p. 122) è dovuta al fatto che era stato dimenticato dell'uranio in un cassetto, insieme a delle lastre fotografiche. La penicillina (Alexander Fleming, p. 97) viene scoperta in seguito all'apertura casuale di una provetta da parte di un inserviente. In realtà, se questa e altre scoperte fortuite hanno dato luogo a straordinarie innovazioni, è perché c'era una "mente preparata", capace di cogliere al volo il significato dell'evento casuale e trasformarlo in un lampo di genio.

UN'IDEA PER SERENDIPPO

Serendippo era l'antico nome dello Sri Lanka, o isola di Ceylon.
Una favola racconta di tre principi di Serendippo che cercavano
una principessa. La cercavano ma non la trovavano mai.
Invece durante la loro ricerca trovarono molti altri inaspettati tesori.
Scoprire cose o avere idee straordinarie durante la ricerca di qualcos'altro
viene detto "serendipità". Molti lampi di genio sono avvenuti in questo modo.

LAMPI DI GENIO E IMMAGINAZIONE

L'immaginazione favorisce i lampi di genio. Anzi i
lampi di genio sono i prodotti più concreti e tangibili
della capacità di immaginare. Immaginare fa bene
alle idee e ai lampi di genio.

I PROTAGONISTI

I lampi di genio non hanno colore e non sono monopolio di una nazione o di un popolo. Sono patrimonio della nostra specie. Ma dietro ad ogni invenzione o innovazione c'è sempre una storia, un aneddoto, un personaggio. Albert Einstein è uno di questi. È considerato il padre della fisica moderna ed è un genio di portata mondiale. Si sarebbe divertito anche lui a fare questo viaggio alla ricerca delle grandi idee che hanno cambiato il mondo. Non meravigliatevi se lo troverete in alcune delle pagine che seguono, anche in abiti che non sono i suoi.

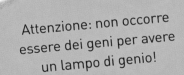

FLASH

FLASH

SONO IO,
CIOÈ
LUI!

Attenzione: non occorre essere dei geni per avere un lampo di genio!

PRESTO!
UN LAMPO
DI GENIO!

TUTTI GENIALI

Oltre ad Einstein incontreremo una piccola folla di altri personaggi, alcuni sconosciuti, altri ben noti in tutto il mondo. Da Archimede a Leonardo, da Volta a Edison, da Magellano a Steve Jobs, tutti aggiungono qualcosa su come, dove e quando nascono le grandi idee.

Come Galileo, che per dimostrare il moto dei pianeti e della Terra ebbe il lampo di genio di guardare il cielo con il suo cannocchiale.

Non sempre però il valore dei loro lampi di genio è stato subito riconosciuto.

Dietro ogni problema c'è un'opportunità. Sta al vostro genio coglierla.
Galileo Galilei

Sii meno curioso della gente e più curioso delle idee.
Marie Curie

Tutto sta a unire i puntini tra le cose che ci sono già... e le grandi idee appaiono.
Steve Jobs

Una cosa è sicura, molti di questi personaggi non solo hanno avuto grandi idee, ma hanno anche dovuto darsi da fare per portarle avanti.

UN LAMPO BESTIALE

ANCHE VOI AVETE I VOSTRI LAMPI DI GENIO!

SI FA QUEL CHE SI PUÒ CAPO!

Ero in Toscana, in una casa colonica nel bel mezzo di un podere allora abbandonato. Era popolato da cinghiali, volpi e altri animali. Dormivo in una grande stanza sopra una stalla dismessa che profumava ancora di fieno. Sotto la mia finestra usciva un tubo d'aerazione arrugginito. Sporgeva per qualche centimetro dal vecchio muro e ospitava un nido di piccoli uccelli, al sicuro da ogni predatore. Non li avevo visti ma ne avevo sentito i pigolii. Qualche piccolo era già nato. Ma ogni pomeriggio accadeva un strana cosa. Mentre cercavo di fare una "pennichella", un misteriosissimo rumore mi svegliava di soprassalto. Come se un oggetto pesante fosse stato gettato sulla tettoia del pollaio sottostante. Quando mi affacciavo niente era visibile: né oggetti, né animali, né persone...il silenzio era perfetto. Pensai a uno scherzo degli amici che mi ospitavano ma negavano decisamente ogni responsabilità, anche se il fenomeno si ripeteva ogni giorno con cronometrica puntualità. Alla stessa ora... un bel tonf! Seguito solo dal rumore del vento. Poi... la tragedia. Invece che dal solito tonfo, fui svegliato di soprassalto da un disperato strepitare. Mi affacciai e vidi una serpe* di dimensioni non trascurabili attorcigliata al tubo sporgente. La serpe stava banchettando con i piccoli nati rimasti nel nido, mente attorno i fringuelli genitori lanciavano strilli di impotenza. Svuotato il nido e riempita la pancia, la serpe si lasciò cadere sulla tettoia sottostante rivelando l'origine del misterioso tonfo pomeridiano. Velocemente e silenziosamente guadagnò il bordo della lamiera per poi lasciarsi cadere nel prato e sparire nell'erba alta. Quel giorno finalmente aveva realizzato il suo progetto: raggiungere il nido e mangiare i piccoli fringuelli. Ma non era stata una cosa così semplice, anzi era frutto di un'azione piuttosto complicata.

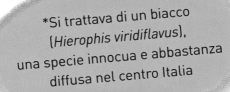

*Si trattava di un biacco (Hierophis viridiflavus), una specie innocua e abbastanza diffusa nel centro Italia

-IDEA-

FLASH!

H
G
F
D
I
L
A
B
C

LA SERPE GENIALE...

Non potendo conquistare un pasto per lei irraggiungibile da terra,
ogni giorno, percorrendo un tragitto lungo e faticoso , la nostra
genialissima serpe saliva sul tetto della casa e si lasciava cadere cercando di avvilupparsi
al tubo sporgente. Aveva ripetuto il tentativo ogni giorno, alla stessa ora, con un notevole
dispendio di tempo e di energia. Infine era riuscita nel suo intento.
Dispiace per la strage dei fringuelli, ma non si può che rimanere ammirati per il lampo
di genio del rettile che aveva usato il suo non sviluppatissimo cervello per immaginare,
progettare, perseverare e infine realizzare un'impresa non facile. Molti rappresentanti
della specie *Homo sapiens* non ne sarebbero capaci.

... E I POLPI APRISCATOLE

Anche ai polpi e alle piovre non mancano
i lampi di genio. Sottoposti a test di intelligenza,
hanno dimostrato di essere in grado
di imparare dagli errori e dal comportamento
dei compagni della stessa specie: per esempio
sono in grado di aprire i barattoli contenenti
del cibo, anche se non li hanno mai visti.
Oppure sono capaci di trovare una via
di fuga in trappole piuttosto complesse.

Gli animali più intelligenti
sono i mammiferi. Tra questi
il delfino, il cane, il gatto,
e soprattutto le nostre cugine,
le scimmie antropomorfe.
Una cosa è certa, chi più chi
meno tutti gli animali pensano.
E quando occorre hanno anche
qualche lampo di genio.

UNA DEFINIZIONE

DEVO FARE UN NIDO DI 3 LOCALI E SERVIZI!

Visto che anche serpenti e molluschi possono avere dei lampi geni, questo vuol dire che sono intelligenti? Forse sì, forse no, forse solo un po'. L'intelligenza può essere definita come la capacità di risolvere problemi, ovvero l'abilità di mettere insieme le risorse che si hanno a disposizione per uscire da una situazione o raggiungere un certo fine. Dopo l'uomo, sembra che gli animali più intelligenti e più propensi ad avere lampi di genio siano gli oranghi e gli scimpanzé.

GATTI SOGNATORI

Seguono a una certa distanza animali come il cane e il gatto. Messi di fronte a un problema anche gli amici dell'uomo – a modo loro – cercano di risolverlo. Questi animali sono curiosamente tutti capaci di sognare quando dormono. Sognare vuol dire saper immaginare, ovvero saper disegnare e costruire nella propria mente situazioni e oggetti diversi da quelli reali.

IDEA

QUANDO DORMO SOGNO!

...QUINDI PENSO, ECCOME!

E SE SOGNO IMMAGINO!

A un gatto il suo cibo preferito è reso irraggiungibile coprendolo con una teca trasparente in plexiglass.
1. Il gatto fa finta di nulla.
2. Fa un sonnellino.
3. Al risveglio con una zampata solleva la teca e raggiunge il cibo.

CORVI MATEMATICI

Anche agli uccelli non mancano le buone idee. Ci sono uccelli architetti, viaggiatori e persino matematici. Alcune specie – come i corvi e i pappagalli – sono considerate tra le più più intelligenti. E alcuni sanno persino contare.

SCIMMIE DESIGNER

L'intelligenza è anche usare oggetti per ottenere un certo risultato, come raggiungere un frutto, rompere il guscio di un mollusco e così via. Gli scimpanzé per esempio sono ghiotti di termiti e fin da piccoli usano dei bastoncelli che infilano nei termitai per "pescare" questi insetti. In laboratorio gli scimpanzé si dimostrano capaci di avere anche notevoli lampi di genio: per raggiungere un premio desiderato sono in grado di pensare, progettare e infine di costruire oggetti complessi, usando oggetti per farne altri.

MACACHI CHE IMPARANO

Imparare dagli altri comportamenti utili e piacevoli è una prerogativa dell'intelligenza, ma non è un privilegio riservato ai soli esseri umani. A una colonia di macachi giapponesi furono dati dei tuberi sporchi di terra e sabbia. Una femmina, la più sveglia del gruppo, invece di mangiarli in questo sgradevole stato, ebbe un lampo di genio: li portò in spiaggia e li lavò nell'acqua di mare. Uno dopo l'altro tutti suoi compagni fecero lo stesso. Da quel giorno la piccola orda di macachi lava i tuberi con gran soddisfazione di tutti.

IL LAMPO DI LORENZ

NOI E LE OCHE

Konrad Lorenz. Gentile, flemmatico, ironico. Con
una folta chioma di capelli bianchi. Eccolo nel laghetto
del suo giardino, vicino a Vienna, mentre fa il bagno
in compagnia di una tribù di oche selvatiche. Le piccole
oche sono nate dalle uova che ha amorevolmente… covato.
Lo considerano la loro "mamma". Altre foto
lo ritraggono mentre passeggia, seguito affettuosamente
dalle sue figlie adottive in fila indiana, come se fosse
veramente mamma oca. Non sta giocando, anche se
il sorriso aleggia sul suo volto. Sta facendo un esperimento
scientifico ripetibile da chiunque decida di adottare
un cucciolo o un pulcino. Il professor Lorenz sta
dimostrando la sua teoria dell'*imprinting* ("impressione").
Ovvero se un piccolo riceve cure e affetto da una mamma
diversa dalla madre biologica – quindi anche da un uomo
con barba e baffi – riconoscerà
quest'ultimo come la vera madre.

In realtà Lorenz ha fatto molto di più. Studiando
gli animali ha scoperto tutta una serie di analogie
con il mondo degli uomini, fino a poter fare
un ragionevole confronto.

IDEA

MAMA
MAMA
MAMA

L'imprinting

LA DIFFERENZA

La scienza che si occupa del comportamento degli animali si chiama etologia e Konrad Lorenz (1909-1989) ne è considerato il padre fondatore. Dopo i suoi studi, molti altri naturalisti hanno studiato il comportamento degli animali rivelando, nel bene e nel male, somiglianze con quello degli esseri umani. La grande differenza sta nella capacità o meno di imparare e trasmettere le proprie conoscenze e i nuovi comportamenti agli altri membri della stessa specie, soprattutto ai figli, ai nipoti e a quelli che verranno.

Sopra, due disegni di Granville, pseudonimo del disegnatore e caricaturista francese Jean-Ignace-Isidore Gérard (1803-1847)

Gli animali possono avere anche dei lampi di genio, possono scoprire o imparare nuove azioni utili e virtuose, ma se queste non sono fissate geneticamente e non diventano "istinti", si perdono facilmente nelle generazioni successive.

Questo invece non avviene nelle popolazioni umane, dove una scoperta, un'idea, un'invenzione possono diventare rapidamente patrimonio di tutta l'umanità, grazie al linguaggio, alla scrittura e, oggi, a un'infinità di mezzi di comunicazione. Come è avvenuto ai 100 lampi di genio che seguono e che possiamo dire "nostri" in quanto ormai appartengono a tutta la nostra specie.

LA NOSTRA STORIA COMINCIA CON UN LAMPO

Il fulmine ha colpito il vecchio albero e la foresta brucia. È già accaduto. Accadrà ancora. Ora le fiamme alimentate dal vento incalzano gli animali in fuga.

1 Un'idea scottante

Non sappiamo chi per primo invece di scappare alimentò una fiamma per conservarne la luce e il calore. Probabilmente era un ominide peloso alto poco più di un metro. Non apparteneva alla specie *Homo sapiens* ma a un'altra, che viveva in Africa o in Cina, 700 000 o un milione di anni fa. Già da molto tempo i nostri antenati usavano rozzi utensili di pietra. Più d'uno s'era accorto che strofinando o scheggiando certe pietre si creavano magiche scintille capaci di incendiare l'erba secca intorno.
Altri ancora, scampati al fulmine e all'incendio della savana avevano scoperto che la carne abbrustolita dal fuoco ha un buon sapore. Il primo vero grande lampo di genio fu l'azzardo di conservare la fiamma e tenerla viva come un animale catturato, alimentandola con legno e foglie secche.

LA CONQUISTA

Il controllo del fuoco ha altre conseguenze straordinarie oltre all'invenzione della buona cucina e al miglioramento della buona conversazione. Consente all'uomo di insediarsi in zone climatiche dove prima gli era impossibile sopravvivere. Può superare le stagioni rigide senza dover migrare in luoghi più caldi. Per la prima volta ha l'illusione di poter sconfiggere la Natura, procurandosi luce e calore negli inverni più oscuri.

So che fuoco e acqua non vanno d'accordo. Così corriamo tutti verso il fiume, tra piccoli e grandi mammiferi che corrono come noi, pazzi di paura. Raggiungo l'acqua, finalmente. Nel fiume mi sento al sicuro. Non è profondo e con calma guadagno la riva opposta. Qui mi fermo e mi volto a guardare le fiamme e gli animali che si tuffano e nuotano incuranti di chi gli sta accanto, gazzella o leone che sia. La collina brucia tutta la notte. Quando il Sole sorge appare nera e fumante. Il silenzio è rotto dal pianto dei nostri piccoli. I vecchi tacciono. Sono contenti d'essere vivi. Io mi faccio coraggio. Entro in acqua e ritorno sull'altra riva.

Faccio attenzione a dove metto i piedi. Le braci sono roventi. Cerco qualche piccolo roditore rimasto intrappolato dal fuoco. La carne bruciacchiata è buona. Lo spirito del fuoco non è poi così cattivo. Anzi, prendo un tizzone ardente e lo alzo verso il cielo, mostrandolo ai miei compagni rimasti sulle rocce oltre il fiume, sull'altra riva. Un soffio di vento ravviva la fiamma.

AAAARGH!

Per diversi giorni mi hanno guardato con sospetto. Non si avvicinavano neppure. Ora attorno al falò, ogni notte, si raccolgono i miei fratelli, le mie sorelle e tutta la nostra piccola orda. Leoni e lupi stanno alla larga. Le prede uccise – e anche certi frutti – arrostiscono nelle braci. I cacciatori mangiano volentieri la carne cotta, devono masticare meno e hanno più tempo

per raccontare le loro avventure della giornata. Usano più gesti che parole, ma io li capisco: raccontano di belve dotate di denti enormi e di grandi erbivori alti più di tre uomini messi uno sull'altro. Dicono che hanno sentito le voci del Dio della Montagna. Giurano di aver sentito la voce del Dio Fiume e del Grande Albero. Tutto questo accade mentre il fuoco proietta intorno le nostre ombre, che sembrano spiriti di demoni imprendibili.

Ogni idea rivoluzionaria sembra evocare tre successive reazioni che possono essere sintetizzate in tre frasi:
- È del tutto impossibile
- È possibile ma non ne vale la pena
- Ho sempre detto che era una buona idea

Arthur C. Clarke

2 Il linguaggio

LAMPI PALEOLITICI

Nel corso degli ultimi sei milioni di anni molte specie di ominidi sono apparse e poi scomparse dalla faccia della Terra. L'umanità ha fatto passi da gigante dopo aver conquistato la posizione eretta. I nostri antenati sono diventati sempre più abili. Il cervello si è ingrandito di almeno tre volte. Ora imparano e ricordano più facilmente. Contemporaneamente hanno affinato una capacità straordinaria che consente una più facile diffusione delle idee.

Il linguaggio è la facoltà di comunicare con gli altri con segni, gesti e parole, dopo esserci messi d'accordo sul loro significato. Lo impariamo fin da piccoli guardando e ascoltando i nostri genitori e poi le persone che ci stanno intorno. Per i nostri antenati c'era un intero vocabolario da inventare. Le prime parole dopo "mamma" furono probabilmente "fame" e subito dopo "aiuto, che cosa ci faccio qui?".
Poi qualcuno, indicando un frutto, inventa l'aggettivo "buono", associandolo a un sorriso, e "cattivo" associandolo a una smorfia. È l'inizio della civiltà della parola.

È divertente dare il nome alle cose: Sole, Nuvole, Leone, Gazzella, Zio e così via; il problema è quando i tuoi compagni di caccia non gli hanno dato lo stesso nome...

Attorno al fuoco, a caccia o lavorando le pietre,
il linguaggio si arricchisce di parole, nomi e verbi.
Questo succede anche se la nostra specie possiede meno
organi vocali di molti altri animali e minori possibilità
di emettere suoni. Ma impara a usarli per creare
un numero infinito di parole. È il grande lampo di genio
che consente all'uomo di trasmettere le sue conoscenze
agli altri membri della tribù, ai figli e ai nipoti.

③ I graffiti

Nel contempo lascia segni indelebili del suo passaggio. Graffia
la roccia e disegna sulle pareti e sulle volte di caverne profondissime.
Disegna animali, uomini, donne, mappe e scene di uccisioni. Questi
disegni raccontano episodi eclatanti della tribù che vogliono essere
tramandati alle generazioni che verranno. Talvolta evocano
la cattura di animali, oppure sono un omaggio ai cacciatori,
ai capi e ai grandi stregoni. Sono destinati ai nipoti e pronipoti.
Non suppone che rimarranno intatti per millenni. I graffiti
sono magici, come le ombre proiettate dal fuoco. Si tracciano
o si incidono come buon auspicio per le cacce che
verranno. Talvolta – come le tante mani stampate
sulle pareti – rappresentano il gran numero
dei componenti della tribù e la forza
dell'orda. Vogliono essere un serio
avvertimento per chi passerà per gli stessi
luoghi. Spesso si tratta di segni essenziali,
ripetuti come parole di una misteriosa
scrittura. Alcuni sono raffinate opere
d'arte – come i bisonti raffigurati nelle
grotte di Altamira, ritrovati in Spagna
– commoventi per la loro perfezione,
che rimarrà ineguagliata nei millenni
successivi. Tutti contengono un'idea,
un messaggio, una storia, un piccolo o grande
lampo di genio che è arrivato fino a noi.

FLASH!

4 La pietra nuova

IDEE DI PIETRA

Ogni giorno abbiamo a disposizione una enorme quantità di oggetti e utensili, dalla bicicletta alla pila, dal cacciavite al tablet. Non basterebbero mille pagine per elencarli tutti. Per milioni di anni i nostri antenati hanno avuto a disposizione solo quello che la natura offriva loro: pezzi di legno, ossa di animali e soprattutto pietre.

I primi attrezzi di pietra "costruiti" dall'uomo erano difficilmente distinguibili da semplici ciottoli sbrecciati. Servivano come asce per uccidere e squartare gli animali catturati, per raschiare la carne dalle ossa, per tagliare le pelli e così via. Non erano oggetti prodotti casualmente, erano pensati e costruiti con uno scopo preciso. Erano prodotti un po' da tutti i membri della tribù. Nel corso di milioni di anni questi utensili diventavano sempre più sofisticati. Con tecniche sempre più raffinate di scheggiatura l'uomo ottenne asce bifacciali (amigdale), lame taglienti, punte per trapanare il legno o incidere l'osso. Certe volte la materia prima, come alcuni tipi di pietra vulcanica, per esempio l'ossidiana, proveniva da luoghi lontanissimi anche centinaia di chilometri.

"12 000 anni fa circa l'*Homo sapiens* raggiunge il massimo della sua abilità manuale, massimo che non è mai stato superato, anzi..."

Certo è che nel paleolitico tra una innovazione e l'altra ne passava di tempo! Sembra ieri quando due milioni e mezzo di anni fa un mio antenato ha scheggiato i primi utensili, ma ora nell'era della Pietra Nuova è tutta un'altra cosa.

Per tutto il periodo detto "paleolitico" (che sta per "età della pietra antica") l'umanità usa vari tipi di pietre, fino a identificare nella selce (una roccia sedimentaria composta quasi esclusivamente di silicio) il materiale che meglio si presta a essere sbrecciato e lavorato. Poi, circa 10 000 anni fa, gli strumenti di pietra cominciano a essere non più sbrecciati ma levigati. Questa raffinata novità dà inizio a quella che è stata definita "età della pietra nuova": il neolitico. Coincide con la fine dell'ultima glaciazione e con un susseguirsi di lampi di genio che porteranno alla nascita delle prime civiltà.

DUE LOCALI E SERVIZI

Anche i primi condomini sono di pietra.
In alcune regioni le caverne naturali sono scavate, adattate e modellate per meglio ospitare i loro abitanti. Molti siti cavernicoli in Turchia, Afghanistan e Medio Oriente sono intensamente abitati alla fine del paleolitico da *Homo sapiens* e *Neanderthal*. L'idea era di togliere e adattare invece di costruire.

Cappadocia (Turchia), "centro residenziale" abitato in tempi remoti.

GRANDI IDEE DI UNA SPECIE IN MOVIMENTO

Si va. Si lasciano le capanne, la foresta, la sorgente.
Lo fanno gli aironi, le beccacce e le folaghe. Lo fanno
i bisonti, i leoni, le iene. Lo facevamo anche noi.

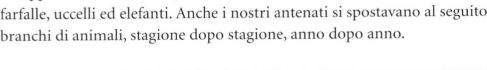

È TEMPO DI MIGRARE!

5 Il tempo

Gli animali sanno quando è tempo
di andare. L'istinto dice loro quando devono
scendere a valle, oppure dirigersi a nord
o a sud, alla ricerca di pascoli più ricchi dove
accoppiarsi e far nascere i piccoli. È un'idea fissata geneticamente che fa spostare in massa
farfalle, uccelli ed elefanti. Anche i nostri antenati si spostavano al seguito dei grandi
branchi di animali, stagione dopo stagione, anno dopo anno.

LA SCOPERTA DELL'ANNO

Poi io ho avuto un lampo di genio.
Quando il Sole tramonta in un certo
punto, inizia la stagione delle piogge.
Quando tramonta in un altro,
fioriscono i prati, matura un certo
frutto, scendono a valle i lupi e così
via. Ho scoperto che il Sole è il primo
orologio dell'umanità e il primo
calendario. Da milioni di anni fa
lo stesso percorso nel cielo, sempre
più alto fino al solstizio d'estate,
quando le ore di luce sono tantissime
(nell'emisfero nord è il 21 giugno),
sempre più basso fino al solstizio
d'inverno (nell'emisfero nord
è il 21 dicembre), quando la notte
e il freddo occupano gran parte della
giornata. Dopo un anno il Sole sorge
e tramonta negli stessi punti
dell'anno precedente, dietro la stessa
montagna. Io so cosa accadrà quando
tramonta dietro un certo picco.
Sono un mago.

*Il sito di Göbekli Tepe in Turchia, antichissimo tempio, osservatorio,
punto d'incontro di popolazioni nomadi di 12 000 anni fa.*

OGGI.

TRA 7 GIORNI!

TRA 14 GIORNI!

TRA 21 GIORNI!

TRA 28 GIORNI!

Tuttora molte feste religiose in Occidente e in Oriente sono legate alla Luna. La Santa Pasqua per esempio si celebra nella domenica successiva alla prima Luna Piena di primavera.

LA SCOPERTA DEL MESE

La Luna è l'altro grande orologio cosmico che ci ha regalato la Natura. Il nostro satellite cambia aspetto giorno dopo giorno. Dal nulla appare nel cielo una falce sottile che dopo sette giorni diventa una mezza Luna. Che poi s'ingrossa e diventa – dopo altri sette – una Luna Piena. Dopo sette giorni ha l'aspetto di un'altra mezza Luna, ma è la metà opposta. Dopo altri sette è sparita di nuovo nel cielo buio, ma c'è: è la Luna Nera (o Luna Nuova). Il ciclo si ripete ogni 29 giorni e mezzo. Così viene l'idea di far festa e darsi appuntamento usando la Luna. Così nasce l'idea di mese e settimana.

QUANDO SI FA FESTA?

ALLA PROSSIMA LUNA PIENA!

6 La musica

DAI RUMORI AL RITMO, UNA MAGNIFICA IDEA

La Natura non è mai silenziosa. Per chi la sa ascoltare riserva parecchie sorprese: il vento, le onde del mare, le fronde degli alberi, il canto degli uccelli, il gorgoglio dell'acqua che scorre... è la colonna sonora della vita sulla Terra. Certi suoni sono belli e piacevoli da risentire. Così li riproduciamo con tutto quello che la Natura mette a disposizione: con le rocce, per cominciare. Il rock è nato più di 100 000 anni fa.

TUMP TUMP TUMP

Sono in una caverna e ho scoperto un fenomeno fantastico. Percuotendo una stalattite che pende dal soffitto si crea un suono piacevole che si diffonde e riecheggia nel buio.
La stalattite vicina, che è più corta e più tozza, produce un suono diverso, come è diverso quello delle sue sorelle. Provo con tutte, una dopo l'altra. I suoni magici si diffondono e si moltiplicano. Mentre i miei compagni disegnano cervi e bisonti sulle pareti, mentre il fuoco anima le nostre ombre sulle pareti, eseguo il primo concerto per caverna della storia dell'umanità.

La Natura offre un'infinità di oggetti che producono suoni: tronchi cavi, canne di bambù, conchiglie, carapaci di tartaruga, baccelli secchi. C'è solo da scegliere. E poi s'inventa: sonagliere, fischietti, trombe, strumenti a corde, nacchere e così via. Tutto suona se si vuole. È rock ragazzi, è il rock del paleolitico.

La musica è arte del Tempo.
Igor Stravinsky

UUUUUUUUUU!

STRUMENTI VEGETALI E ANIMALI

Le zucche seccate al sole diventano maracas. Così i baccelli di carrube giganti e di tante altre piante. Le conchiglie raccolte in riva al mare e i gusci di lumaca diventano sonagliere. Le ragazze le mettono alle caviglie quando si danza.

sonagliere di conchiglie

I suoi elementi sono gli stessi della vita. Sorda ma percepibile, potente anche quando è povera. Si trova ovunque ci sia vita.

Ignacy Jan Paderewski

zucche essiccate

(maracas)

Le ossa degli uccelli sono cave e se ne ricavano suoni e fischi straordinari. Dal bambù e dalle canne si ricavano flauti e altri strumenti a fiato.

Facendo ruotare un disco nell'aria si ottiene un ronzio cupo e profondo: è il rombo. È uno strumento antico del quale si è perso il ricordo, ma nella foresta ancora oggi gli animali drizzano le orecchie quando sentono la sua strana musica, che sembra prodotta da un enorme calabrone.

ROOO.ON

7 La domesticazione

Ho trovato un cucciolo di lupo. L'ho tenuto al caldo sotto la mia pelliccia, a contatto con la mia pelle. Trema, poverino. Gli anziani dicono che non è una grande idea. Gli animali vanno cacciati, uccisi e scuoiati, cosa che probabilmente è stata fatta con i suoi genitori. Ma nessuno della mia orda ha il coraggio di far del male a questo mucchietto di pelo che mi guarda con gli occhi dolci. Sarà il mio compagno di giochi, crescerà con me e con le mie sorelle. Rimarrà con noi finché non sarà troppo grande e i suoi istinti selvatici non avranno il sopravvento. Se non tornerà nella foresta a cercare i suoi simili, sarà mio amico per sempre.

UN MICIO?

UN CUCCIOLO PER AMICO

Un cucciolo si lascia addomesticare facilmente da chi l'ha adottato. Così si possono addomesticare gli animali più diversi, dalle gazzelle alle capre selvatiche, dagli orsi ai leoni marini. Ma anche caprioli, volpi, maiali e oche selvatiche. Certo è che non tutti gli animali, crescendo, si rivelano adatti alla convivenza con gli umani.

SI STA BENE CON GLI UMANI!

PECCATO CHE CI MANGINO!

LA PRIMA SELEZIONE ARTIFICIALE

Con alcuni invece la convivenza è più facile e reciprocamente vantaggiosa. Questi animali potranno raggiungere la maturità e figliare sotto il controllo degli umani. Generazione dopo generazione diventeranno sempre più "domestici". Anche perchè sarà favorita la prole degli esemplari più mansueti e più utili.

Così dalle pecore e capre selvatiche si è arrivati alle specie di oggi, così è accaduto a tanti altri animali d'allevamento e da cortile: da specie selvatiche sono diventate domestiche. Questo processo millenario di selezione artificiale si chiama "domesticazione".

UNA SCELTA GENIALE

Il primo animale a essere stato addomesticato – grazie alla buona idea di un nostro antenato – sembra sia stato il cane. Discende infatti dal lupo grigio che ha abitudini molto simili a quelle degli uomini del paleolitico: caccia in gruppo, ha un capo-branco e si muove seguendo le migrazioni delle mandrie di erbivori.

Il cane da compagno di caccia diventò infine "amico" dell'uomo a tutti gli effetti. Poi diventarono specie domestiche le pecore e le capre, poi il maiale.

Infine avvenne la domesticazione dei bovini con i quali i nostri antenati instaurarono un rapporto molto particolare. Erano allevati, sacrificati, mangiati ma in vita trattati con tutti gli onori, fino a diventare in Egitto, vere e proprie incarnazioni di un dio, il Dio Api.

Addomesticare vuol dire creare dei legami...
Antoine de Saint-Exupéry, *Il Piccolo Principe*

I PRIMI SIAMO STATI NOI!

E DISCENDIAMO DAI LUPI!

NOI SIAMO PERSINO DIVENTATI SACRI!

UN'IDEA DELLA... RENNA

Questa specie è tuttora allevata in Alaska, Norvegia, Svezia e Groenlandia. La sua domesticazione risale a oltre 17 000 anni fa, tra gli ultimi due periodi glaciali. In realtà la renna è attratta dall'odore delle deiezioni dell'uomo ed è golosa dei sali che contengono.

In pratica la renna non ebbe alcun bisogno d'essere forzata a diventare domestica. Anzi, forse l'idea di farsi "addomesticare" è partita da lei.

CHE FAI, MI SEGUI?

SI!

Tra le più recenti specie diventate domestiche c'è il gatto. Anche se viene talvolta il dubbio che sia lui ad aver addomesticato noi.

LAMPI DI TERRA, LAMPI DI MARE

I tronchi degli alberi caduti nel fiume galleggiano e sono trascinati dalla corrente. Stare in equilibrio su di essi è un gioco e una sfida alla quale nessuno dei giovani della tribù si può sottrarre.

8 La navigazione

Siamo una specie di viaggiatori. Ma anche di navigatori. L'Australia, "scoperta" dagli Europei nel XVII secolo, era stata già raggiunta dall'uomo 60 000 anni prima, quando era ancora un unico immenso continente che si stendeva dalla Tasmania alla Nuova Guinea. Durante i periodi glaciali il livello dei mari era più basso di almeno 100 metri rispetto all'attuale. Dove oggi c'è solo oceano c'era un susseguirsi di isole oggi sommerse. Con primitive imbarcazioni, passando da isola a isola, seguendo correnti marine e venti completamente diversi da quelli di oggi, i nostri antenati raggiunsero continenti e terre ora isolate da centinaia di chilometri di mare. Resta un mistero il tipo di natanti usato da questi popoli per superare così notevoli distanze: erano solo grandi zattere? Ospitavano anche animali, piante e intere famiglie? Chi fu il primo popolo a inventarle? Comunque fu una grande idea paleolitica.

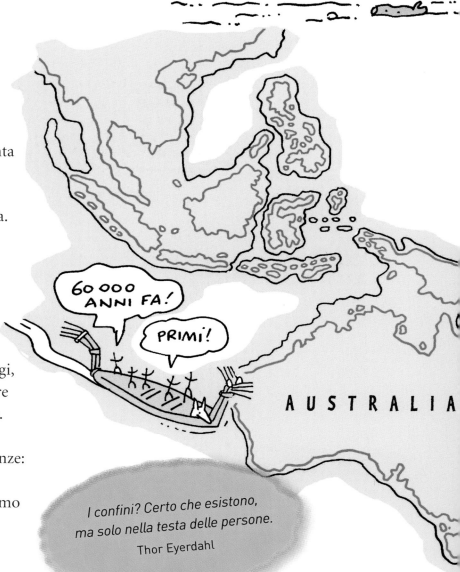

60 000 ANNI FA!

PRIMI!

AUSTRALIA

I confini? Certo che esistono, ma solo nella testa delle persone.
Thor Eyerdahl

UNA STORIA NAUTICA NEOLITICA

Quando nasce il mito dell'Arca che salva da
un terribile diluvio Noè, la sua famiglia e tutte
le coppie di animali che vi sono salite, l'uomo è già
un navigatore esperto. Naviga per mari ed oceani
da decine di migliaia anni. Ha raggiunto Creta
e altre isole del Mediterraneo più di 100 000 anni fa.

L'ARCA? UN'IDEA GENIALE!

Le tribù del fiume hanno già inventato
le canoe, i remi e le pagaie. E non occorre
scavare un tronco per costruire
un'imbarcazione: basta unire in un grande
fascio le canne che crescono in abbondanza
sulle rive dei laghi e dei corsi d'acqua.
Lo hanno fatto – con lo stesso raffinato
design – popoli lontanissimi tra loro:
in Egitto, in Tasmania, sul lago Titicaca
in Perù, in Sardegna e così via. C'era anche
chi affrontava l'oceano con esili canoe
rivestite di pelle di lontra o leone marino.

9 La vela

Infine qualcuno si accorge che il vento può essere amico. Le prime vele sono di pelli cucite
insieme o di fibre vegetali intrecciate. In Egitto, le prime grandi imbarcazioni hanno vele
in papiro. La vela è il primo esempio di uso di una fonte di energia non inquinante.

Nel 1947 il norvegese Thor Eyerdahl
ha costruito una zattera di tronchi
di balsa (Kon-Tiki) con la quale ha
percorso più di 6000 km di oceano
Pacifico, dal Perù alle Isole della
Società. Con questo viaggio e con
altri successivi ha dimostrato che
anche nella preistoria erano possibili
traversate oceaniche.

BENVENUTI IN CROCIERA SUL NILO!

⑩ L'agricoltura

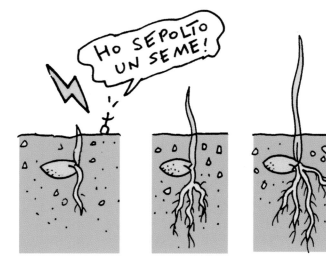

Per migliaia di anni l'umanità non avuto una vera e propria casa dove tornare. La tribù si riparava in capanne di pelli o foglie, o in grotte naturali, poi ripartiva. I villaggi si abbandonavano senza rimpianti ed erano presto cancellati dalla foresta o dalle inondazioni. Per millenni gli esseri umani hanno seguito le migrazioni dei branchi di erbivori che si muovevano da nord a sud, dalla pianura ai pascoli alti e viceversa. Hanno vissuto cacciando e raccogliendo frutti, bacche, baccelli e spighe che trovavano sul percorso. Anche quando sono diventati pastori continuavano a muoversi, poi… hanno avuto un'idea, un vero lampo di genio.

UNA VERA MAGIA

In certi luoghi, la natura favorisce l'abbondanza di spighe, frutti o radici buone da mangiare. Forse perché la terra è fertilizzata dal limo portato dalle piene del fiume, forse perché gli dei sono favorevoli. Qui ci siamo fermati per più di una stagione e mi sono accorto che Madre Natura si può aiutare. Sotterrando un seme, questo germoglierà. Dopo qualche mese, il germoglio è una bella pianta con 20-30 semi uguali a quello che avevo sotterrato. È magico. Nel buio della terra il seme non muore, anzi rinasce e si moltiplica. Non occorre migrare alla ricerca di altri luoghi. Chi semina raccoglierà, per sé e i suoi figli. Quello che avanza servirà per l'inverno e per gli anni di carestia. Grazie a questa magia si può vincere la fame e vivere in abbondanza.

L'agricoltura comprende l'arte del saper aspettare.

Un altopiano dell'Anatolia Orientale, tra il fiume Tigri e il fiume Eufrate, una delle regioni dove è nata l'agricoltura.

L'idea straordinaria dell'agricoltura neolitica consiste nel togliersi letteralmente il pane di bocca, sotterrarlo, vedere il germoglio farsi strada nella terra, aspettare alcune lune, e poi raccogliere, moltiplicato per trenta volte, il seme interrato.

FRUMENTO! FARRO! MIGLIO! ORZO!

IL VILLAGGIO DIVENTA STABILE

Se si sta bene non occorre migrare. Le capanne si moltiplicano attorno al granaio. Qui si conserva il raccolto di tutti. È una capanna sollevata da terra, mentre in altri villaggi è una buca foderata di pietre. Con i semi di certe piante si fanno zuppe e minestre, ma anche focacce. La farina si ottiene dai semi, macinandoli con mortai di legno o di pietra.

VITA DI SOCIETÀ

Intorno al villaggio abbiamo costruito una palizzata, per difenderlo dai popoli senza terra che attraversano ancora la nostra pianura. Preferiscono razziare, invece di coltivare. Cambieranno molte cose. Il granaio diventerà un tempio dove faremo offerte ai nostri dei. Non tutti i membri della tribù coltiveranno la terra, anzi qualcuno fabbricherà strumenti per chi lavora nei campi

CERTO È CHE NON BASTA SEMINARE! ZITTO E ARA!

e armi per chi ci difende. Il cibo non sarà più un problema. Gli abitanti del villaggio invece di cacciare e

raccogliere avranno più tempo per pensare, per far festa, per avere delle buone idee.

11 La terra... cotta

UNA TERRA PLASMABILE

L'ho trovata in un'ansa del fiume. Anzi, ci camminavo sopra e le mie impronte vi rimanevano impresse. Poi ho scoperto che è facile trovarla, certe volte basta scavare un poco. È una terra... diversa. Non si sbriciola.

Anzi è una pasta morbida e umida alla quale si può dare la forma che si vuole: di animale, di ciotola, di Dea Madre. Quando si asciuga diventa dura come un sasso. Come recipiente può contener acqua, semi e succhi fermentati.

L'argilla, o creta, allo stato naturale ha colori diversi. È grigia, bianca, gialla, rossa, marrone e persino nera, a seconda delle particelle minerali che la compongono. È un materiale speciale: se si espone al Sole perde gran parte dell'acqua che contiene e mantiene la forma che le si è data. I primi oggetti di argilla sono nati così.
Dall'argilla asciugata al sole a quella cotta con il fuoco il passo è breve. Se un oggetto si cuoce sul fuoco o – meglio – in un forno dove la temperatura raggiunge i 600 °C, l'argilla perde tutta l'acqua che contiene. Diventa terra… cotta.
Le superfici vetrificano e diventano lisce e idrorepellenti. I vasi così ottenuti possono contenere semi, profumi, acqua e vino. Si possono anche decorare e colorare prima o dopo la cottura, con risultati straordinari. Si parla allora di "ceramiche".

AL FORNO È MEGLIO!

FZZZ!

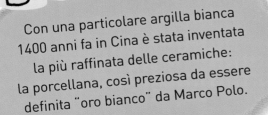

Con una particolare argilla bianca 1400 anni fa in Cina è stata inventata la più raffinata delle ceramiche: la porcellana, così preziosa da essere definita "oro bianco" da Marco Polo.

12 Il mattone

È un semplice parallelepipedo che si realizza con una forma di legno. Tuttora in molte parti del mondo è prodotto con fango e paglia, e poi cotto al sole. Ma se è di buona argilla, cotto al forno diventa solido e resistente come una pietra.

La grande idea del mattone non è l'oggetto in sé stesso, ma l'invenzione del "modulo", ovvero una piccola e semplice struttura che si può ripetere all'infinito, ottenendo con poca fatica risultati notevoli.

La ceramica è stata inventata in luoghi lontanissimi tra loro: in Giappone e in Cina, 20 000 anni fa, e nel Sahara quand'era ancora una regione verde, ricca di laghi e pascoli.

TUMP

L'ARCHITETTO DI BABELE

Lo so. Abbiamo sfidato il cielo. Qui a Babilonia, o Babele, come la chiama il mio popolo, mattone su mattone abbiamo costruito cinte di mura, templi, cisterne, dighe, canali. Da qui l'idea della torre più alta mai vista al mondo. Poggia su un quadrato di novanta metri di lato e quando sarà finita toccherà le nuvole.

IDEE DI MODA E LAMPI DI CIVILTÀ

L'idea di coprirsi nasce da una necessità, maggiore nei climi freddi, minore nei climi caldi. Ed è subito... moda.

> VESTIRETE ARMANI!

13 Abiti e dintorni

PRIMA DEI TESSUTI

Per un milione d'anni i nostri antenati si sono vestiti con brandelli di pellicce e pelli d'animale. Ora indossiamo pantaloni e giacche ben tagliati, cuciti insieme con i tendini degli stessi animali. Per cucire usiamo aghi d'osso e il nostro

> NON È CONCIATO!

abbigliamento ha un aspetto affascinante, solo che puzza un po'.

Poi ho scoperto che se lavo le pelli nelle calde sorgenti di acqua termale, il pelo viene via più facilmente, e se nell'acqua ci sono rami e foglie le pelli diventano più morbide e non puzzano più. Ho inventato la concia delle pelli...

> CHE VE NE PARE?

L'INTRECCIO

L'idea di filare e tessere nacque a fine paleolitico. I cacciatori-raccoglitori con liane e fibre vegetali sapevano costruire reti da pesca e da caccia. Con giunchi e steli di vari vegetali costruivano da tempo canestri, stuoie e contenitori. C'era già l'idea di tendere una serie di fili (l'ordito) attraverso i quali si fa passare ad angolo retto un'altra serie di fili (la trama). Quando nel neolitico nacquero i primi villaggi, si perfezionò l'arte dell'intreccio, fino a farla diventare vera e propria tessitura. Questo avvenne contemporaneamente in varie località del mondo, dal Perù alla Cina, dalla Mesopotamia all'alto Egitto. I primi tessuti furono di fibre di lino, tiglio, canapa.

In Cina, già 8000 anni fa, si produceva il più prezioso dei tessuti: la seta, ricavata dai bozzoli di una farfalla, il *Bombyx mori*.

VESTIRSI

Oggi è una cosa naturale. Fa freddo e s'indossano felpe e piumini, fa caldo e s'indossano calzoncini e T-shirt. Ma dietro il più sofisticato capo alla moda, come dietro la più semplice delle magliette, c'è un processo industriale complesso, il lavoro di molte persone, coltivazioni di piante o impianti petroliferi, macchine che filano, tessono e stampano il prodotto in pochi o in tantissimi pezzi. È difficile immaginare di farsi da soli un capo di vestiario senza avere a disposizione tutto questo. Ma il settore della moda ha cominciato proprio così.

La pianta di lino, coltivata da più di 8000 anni.

LE FIBRE

Quelle animali sono ottenute dal vello delle pecore o di camelidi come la vigogna e l'alpaca. Quelle vegetali da piante come lino, canapa e cotone.

FILARE

Per ottenere dei tessuti veri e propri occorrono però fili molto lunghi e di spessore omogeneo. Questo si otteneva con un lavoro manuale molto lungo: la filatura. Consiste nell'estrarre e torcere il filo da una massa di fibre trattate usando un bastoncino lungo una spanna: il fuso.

il fuso

IL TELAIO

Era (ed è tuttora) il dispositivo usato per tendere i fili dell'ordito. Il più semplice, verticale, usato anche in tempi recenti dai popoli nomadi, è costituito da una coppia di bastoni piantati nel terreno. Quello orizzontale prevede due bastoni paralleli al terreno. I fili sono tenuti tesi tramite pesi. E la trama viene fatta passare orizzontalmente con un osso appuntito con un rocchetto che trascina il filo.

E le scarpe? Sono una comodità che risale al paleolitico. Erano di cuoio, ovvero pelle di animale conciata. Gli egiziani sembra siano stati i primi a usare l'allume (un minerale) per produrle con un cuoio chiaro e morbido. E i faraoni calzavano sandali... infradito!

14 I metalli

Prima o poi qualcuno doveva accorgersene. Cuoci un vaso o una statuetta d'argilla e – quando si supera una certa temperatura – un pezzo di roccia che fa parte del forno trasuda gocce roventi.

LE PIETRE LUCENTI SI SCIOLGONO!

FLASH!

IL SEGRETO DELLE ROCCE FONDENTI

Il rame fonde a 1083 °C, lo stagno a soli 232 °C, il ferro a 1535 °C, l'oro a 1064 °C, l'argento a 962 °C. Nei forni per la cottura delle ceramiche non sempre si raggiungono queste temperature. Ma da questi forni è nata l'idea di produrre oggetti di metallo.

IL MAGO FONDITORE

È il mio lavoro. Fondiamo la roccia e liberiamo il metallo dalle impurità. Poi lo coliamo in uno stampo di pietra o d'argilla. Il liquido si raffredda diventando un oggetto solido e lucente. Possiamo dargli la forma che vogliamo: un anello, un bracciale, una punta di lancia.

La scoperta cambia la storia del mio popolo. Dapprima produco gioielli, anelli, corone e diademi. Poi armi: lame, spade e pugnali belli e micidiali.

VOILÀ!

Fzzz.

SOFFF

Il rame è il primo metallo ad essere fuso su larga scala, tanto da dare il nome a un periodo della storia umana: l'età del rame.

IL BRONZO

Poi si scopre che se nella fusione è presente un altro metallo, lo stagno (che si trova spesso negli stessi minerali) il risultato è nettamente migliore. La miscela dei due metalli è una lega: il bronzo. Se i componenti sono ben dosati, la lega ha caratteristiche nettamente superiori a quelle dei due metalli usati singolarmente. Finisce un'era, ne comincia un'altra: l'età del bronzo.

È miscelando i metalli che nasce l'alchimia.

IL FERRO

I popoli capaci di produrre il bronzo conquisteranno i popoli vicini. Il bronzo li rende quasi invincibili. Finché qualcuno non troverà un modo semplice di fondere e trattare un metallo ancora più resistente: il ferro. Questo metallo è abbondante sulla crosta terrestre ma solo raramente si trova in forma pura (ad esempio nelle meteoriti).

Il ferro che si ottiene fondendo i minerali ferrosi è... dolce, ovvero fragile e poco resistente. Ma se – quando ancora incandescente – viene martellato ripetutamente, non solo si libera dalle scorie ma si combina con il carbonio presente nella legna delle braci: la massa incandescente (o solo la sua superficie) diventa durissimo acciaio.

La reazione chimica che opera la "magia" e dà luogo alla lega ferro-carbonio verrà scoperta solo nel XIX secolo e verrà poi applicata industrialmente.

Resta lo straordinario lampo di genio di uno sconosciuto "mago del ferro" che con il suo lampo di genio cambiò la storia di molte civiltà antiche.

15) La ruota che non correva

Non è nata per la strada, anche perché di strade proprio non ce n'erano. Anzi era stata pensata per non farla uscire dal villaggio dove ha cominciato a… ruotare. È stata ideata da un vasaio, poi è diventata la ruota di tutti i vasai del mondo, anche di oggi. L'argilla è gettata sul disco che viene fatto ruotare dal vasaio con la mano o con il piede. Sotto le sue mani, l'argilla ruotando prende come per magia la forma e lo spessore voluto.
Queste prime ruote sono di terracotta, di pietra o di legno. Hanno un perno centrale che viene inserito in un supporto cavo intorno a cui gira la ruota.

Con la ruota messa a… terra, la storia corre più veloce.

DA RUOTA NASCE RUOTA

Ho sempre trasportato i carichi con una slitta trainata da me o da un animale. Scivola bene sui terreni erbosi, ma non sulla terra battuta della nostra città. Così ho aggiunto alla slitta due ruote come quelle del mio vasaio, poi quattro. Sono piuttosto rozze: sono costituite da due semicirconferenze di legno unite da fibbie metalliche. Sono piaciute ai sacerdoti del Tempio. Le usano anche nelle sacre processioni.

…ERA ORA!

RUOTE DA BATTAGLIA

Poi qualcuno penserà alla guerra e a carri più leggeri e veloci. Le ruote si dotano di "raggi". Il battistrada è rinforzato con chiodi, poi con cerchioni metallici. Certi popoli, come gli Hyksos, diventeranno potenti e invincibili grazie a carri che corrono veloci sulla nuda terra d'Egitto.

FANATICO!

ruote a raggi →

UNA RUOTA ASSASSINA

È una pesantissima ruota, fotografata
in una città sotterranea dell'Anatolia
Orientale, scavata nella roccia a più
di 20 metri sotto la superficie. Chiudeva
in un attimo ogni via d'uscita agli invasori
che si erano malauguratamente
avventurati sotto terra.

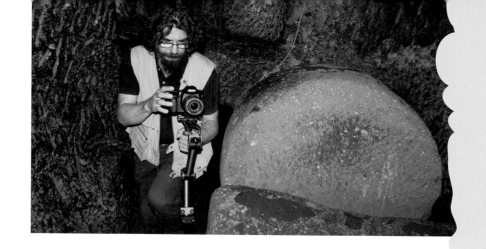

16 Ruote che fan girare le ruote

Nel mondo girano
più ruote di quante
possiamo immaginare.

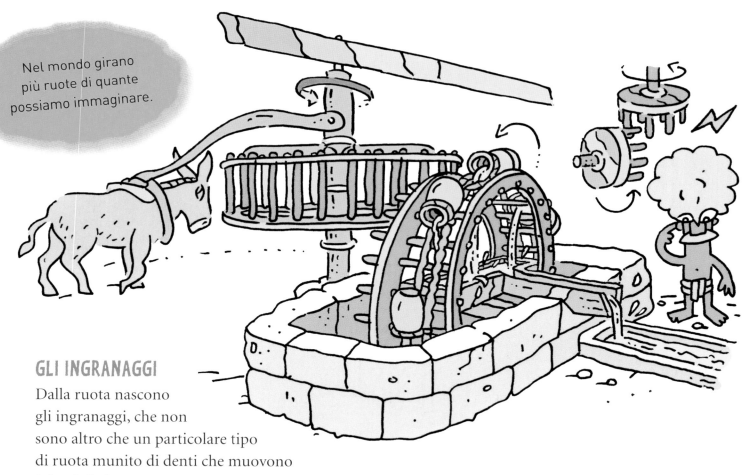

GLI INGRANAGGI

Dalla ruota nascono
gli ingranaggi, che non
sono altro che un particolare tipo
di ruota munito di denti che muovono
i denti di altre ruote. Possono invertire o traslare il senso del movimento,
possono moltiplicarlo, ridurlo e così via, come accade nei mulini, nelle ruote
per sollevare l'acqua e così via. La ruota, la modesta ruota del vasaio, ha aperto
la porta al mondo delle macchine.

IDEE CHE FANNO CRESCERE LE IDEE

Chi ha scritto la prima parola? Forse un artigiano che doveva prender nota dei vasi ordinati da un esigente cliente della città sumera di Ur...

17 La scrittura

SEMPRE A FAR DISEGNINI!

GIÀ!

FLASH!

Avevo a disposizione un po' d'argilla morbida, la stessa che uso per far vasi e mattoni. L'ho appiattita in modo da ottenere una tavoletta e su questa – con uno stilo di legno – ho disegnato quello che

volevo ricordare: il nome del mio cliente, il tipo di vasi che desiderava, quante capre e quanti cesti di grano mi doveva

pagare, la parte di tributi che dovevo portare al re e ai sacerdoti del tempio.

La tavoletta d'argilla essiccata al Sole lo ricorderà per me e per tutti quelli che la leggeranno, finché gli dei lo vorranno.

L'idea ha avuto un notevole successo. Ora tutti prendono appunti su tavolette d'argilla: i sacerdoti, i mercanti, i soldati, gli architetti. Di argilla qui intorno ce n'è in abbondanza. Anche il Sole per seccarla non manca, tra il fiume Tigri e il fiume Eufrate.

INVENTARIO!

FATTURA!

EDITTO!

TASSE!

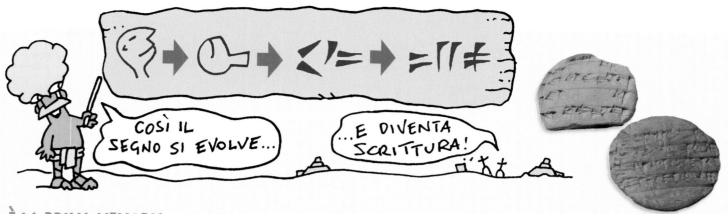

È LA PRIMA MEMORIA ARTIFICIALE

Disegnare stanca, ci vuole troppo tempo e tanto spazio. Così inventiamo dei piccoli segni che possono essere composti in disegni più complessi. In pratica con una serie di piccoli cunei possiamo memorizzare nomi, parole, azioni... tutto. Persino una dichiarazione d'amore potrà viaggiare nello spazio e nel tempo e arrivare fino a voi, dopo millenni, ai musei di Londra e di New York.

DOPO DI NOI

I nostri vicini Egiziani metteranno a punto una loro scrittura, i geroglifici, dove ogni disegno corrisponde a una parola o un'azione. È una scrittura popolata da strane creature, insetti e oggetti curiosi. Verrà usata per migliaia di anni. Ma un popolo vicino al nostro ha un'idea molto più pratica, che avrà sviluppi straordinari.

> La gente dei Fenici ha la grande gloria di avere inventato le lettere dell'alfabeto.
> Plinio il Vecchio, *Storia Naturale* (I secolo d.C.)

18 L'alfabeto

I geroglifici egiziani cambieranno nel tempo, ma rimarranno sempre piuttosto complicati. Il popolo dei Fenici ha invece il giusto lampo di genio: l'alfabeto. È un modo di scrivere semplice ma efficace: consiste in un sistema di circa 20 segni ognuno dei quali rappresenta un suono fondamentale. Con pochi segni (a, b, c, d...) si può scrivere qualsiasi parola, e in qualsiasi lingua! Funzionerà così bene che lo state usando anche voi.

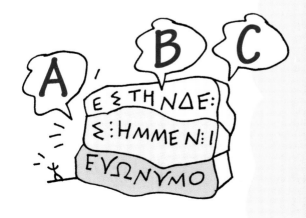

19 I numeri

CHI LI HA INVENTATI

Più che inventati è giusto dire "scoperti":
i numeri sono in tutte le cose. Provate
a vivere un solo giorno senza numeri.
Che anno è? Che ora è? Quante dita ha la tua
mano? È impossibile vivere senza data, senza
ora, senza un peso, senza una distanza, senza
le cifre che danno valore al denaro.

La verità è che i numeri sono nati
per semplificare la vita, sono ben
altre le cose che la complicano.

HO CATTURATO |||||||||| RENNE!

WOW!

40 000 ANNI FA

Il popolo che lasciava le impronte delle mani sulle pareti delle caverne sapeva già contare.
Contavano animali e uomini, incidendo tacche su frammenti d'osso che sono arrivati fino
a noi. I numeri, infatti, sono un modo pratico per dare un ordine alle cose e per esprimere
grandezze e quantità.
Il lampo di genio è stato di dare un nome a ogni numero: "uno", "due", "tre", "quattro"
e così via. Poi – dopo qualche migliaio di anni – qualcuno ha avuto l'idea di rappresentarli
con delle "cifre", ovvero dei semplici simboli grafici che per noi oggi sono : 1, 2, 3, 4, 5, 6,
7… Queste cifre sono dette "arabe" ma in realtà sono state inventate in India,
più di 2000 anni fa.

L'HO
CHIAMATO
"NOVE"!

|||||||

DA 2000
ANNI MI SCRIVONO
COSÌ!

20 L'antenato di tutti i computer

È difficile fare i conti con i primi numeri, così qualcuno usa palline e altri oggetti. In pratica inventa l'abaco. Il pallottoliere è una delle sue versioni più recenti. Il primo abaco è d'argilla. È ideato dagli antichi sumeri, che non usavano un sistema numerico a base 10 (ovvero di dieci cifre come noi), ma un sistema a base 60! Il loro sistema di contare sembra "strano", in realtà è arrivato fino a noi, anzi lo usiamo tuttora per contare… il tempo!

CONTO COME I SUMERI!

TIK TAK

21 Pitagora

Pitagora è uno dei grandi saggi dell'antichità. È nato a Samo, una piccola isola davanti alla costa dell'odierna Turchia, circa 2600 anni fa. Tutti lo conoscono per il teorema che porta il suo nome, il teorema di Pitagora. Ma ha fatto molto di più. Ha inventato la parola "matematica" che per lui vuol dire "incline ad apprendere". Per lui chi impara volentieri cose nuove è un matematico. Non solo, ai suoi allievi "matematici" fa dono di una pensata straordinaria: "tutto è numero", dice. È un motto che oggi è ancora più vero. Vuol dire che i numeri sono nella natura di tutte cose, dalla musica all'architettura, dal DNA all'ultima App scaricata sul nostro telefono, dalla nostra età alla grandezza dell'Universo. Chi è incline ad apprendere, qualunque siano i suoi interessi, presto scopre quanto sia vero il motto di Pitagora.

TUTTO È NUMERO!

22 Talete

PRIMA DELLA SCIENZA

Per millenni l'umanità tende a considerare i fenomeni naturali regali o maledizioni divine. Nell'antica Grecia, se piove o tuona è perché lo vuole il dio Zeus. Se il raccolto è abbondante è merito della dea Demetra e in Egitto se il grande fiume deborda e fertilizza i campi è perché lo vuole il dio Nilo. Chi si occupa di questi fenomeni naturali che oggi riconosciamo come meteorologici, fisici e biologici sono gli stregoni, gli sciamani e i sacerdoti devoti a queste e altre entità sovrannaturali del cielo, delle acque e della terra. Costoro si propongono come intermediari con gli dei, in onore dei quali erigono templi, offrono sacrifici e inoltrano preghiere. Alcuni saggi però, come Talete, cominciano a lasciar da parte gli dei e cercano di spiegare in modo razionale i meccanismi che fanno funzionare il nostro mondo.

Lo so, sono un mito. Sono uno dei Sette Saggi dell'antichità. Delle nostre idee arriveranno fino a voi solo brevissimi testi, che però sono illuminanti lampi di genio. Sono vissuto tra il 640 e il 547 a.C. a Mileto, città greca sulla costa dell'odierna Turchia. La mia più grande idea? Beh, io, Talete, ho inventato... la scienza.

A che cosa serve la scienza? A prevedere il futuro.

LA PRIMA ECLISSI SCIENTIFICA

Talete è famoso nel suo tempo per aver previsto un'eclissi di Sole nel bel mezzo di una guerra, lasciando stupefatti i contendenti. Li lascia tutti ancora più stupefatti sostenendo che non c'è stato alcun intervento degli dei dell'Olimpo, ma solo un calcolo fatto da lui e da chi aveva osservato il movimento del Sole e della Luna negli anni precedenti.

Tra le imprese di Talete, in visita nell'antico Egitto, c'è il calcolo esatto dell'altezza della piramide di Cheope, senza strumenti e misurazioni di sorta.

CI SARÀ LA NOTTE A MEZZOGIORNO!

La scienza è l'insieme delle attività di ricerca e scoperta delle cause e degli effetti di un certo evento naturale.

BEH, BASTA FARE UNA SEMPLICE PROPORZIONE TRA LA MIA E LA SUA OMBRA!

SCIENZA E DENARO

A Talete spesso rinfacciavano l'inutilità del suo sapere. Dimostra il contrario nel corso di un inverno, durante il quale, osservando la natura, gli è facile prevedere un ricco raccolto di olive. Acquista con largo anticipo tutti i frantoi della sua regione e al momento della raccolta li affitta ai tanti che ne hanno necessità per trasformare le olive in olio. Impone a tutti il suo prezzo e guadagna una cifra colossale. Per chi ama la conoscenza – diceva – il denaro non è importante – ma la scienza può servire anche a far soldi.

23 Anassimandro

Talete ha molti allievi in gamba. Anassimandro, che gli è molto vicino, disegna la prima mappa della Terra, che immagina piatta e circondata dall'acqua. Ma è la prima idea di "mondo", di Nord e Sud, Oriente e Occidente, 2600 anni prima di Google Earth.

PER ME È COSÌ!

OCEANO · EUROPA · OCÈANO · AFRICA · ASIA · OCEANO

LAMPI... CLASSICI

Per Pitagora Talete è un "filosofo", vocabolo da lui inventato che vuol dire "amante della conoscenza". Dopo Pitagora e Talete molti saggi si definiranno "filosofi".

24 Aristotele

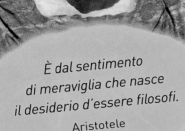

Tra il VI e il III secolo a.C., l'antica Grecia vede nascere un gran numero di "amanti della conoscenza". Cercano di capire come funziona l'Universo. Hanno idee straordinarie e spesso fantastiche. Chi mette ordine tra i tanti lampi di genio dei suoi colleghi è Aristotele, figlio di un medico, fondatore del Liceo di Atene e precettore nientemeno che di Alessandro Magno. Aristotele si occupa di tutto: come il cielo ruota attorno alla Terra, come sono fatti "dentro" gli animali, come nascono i bambini e come funziona la società. Tra le sue idee forti c'è quella della rotondità della Terra.

> È dal sentimento di meraviglia che nasce il desiderio d'essere filosofi.
> Aristotele

LA PROVA ECLISSI

Per molti suoi colleghi la Terra è piatta come una focaccia sospesa nel cosmo. La Terra è rotonda, insiste Aristotele, e il modo di dedurlo è facile e valido tuttora. Durante l'eclissi di Terra, cioè quando la Terra è tra il Sole e la Luna, l'ombra proiettata dalla Terra è tonda.

CANTONATA ARISTOTELICA

Aristotele pur essendo un grande saggio ha invece torto sul movimento del Sole. Per lui è un globo di fuoco grande quanto un'isola dell'Egeo. Orbita ogni giorno attorno alla Terra, che invece è ferma in mezzo al cosmo. Nessuno riuscirà a smentire Aristotele per quasi 2000 anni. Sarà Galileo a farlo, con i suoi lampi di genio.

L'OMBRA È CURVA: LA TERRA È ROTONDA!

FACILE!

25 Gli elementi

Per i miei colleghi filosofi la domanda più difficile era sulla natura della materia: di cosa sono fatte le cose che vediamo, tocchiamo, annusiamo? Non avevano altri mezzi d'indagine oltre ai cinque sensi e al proprio cervello, ma sostenevano ugualmente idee curiose e geniali sulle quali altri hanno costruito le teorie successive. Per Talete, per esempio, tutto nasceva dall'Acqua, compresa la Terra e le creature che la abitano. Per Anassimene, suo concittadino di Mileto, tutto aveva origine dall'Aria, elemento che in certi luoghi del cosmo si concentrava diventando Acqua o Terra. Per Eraclito di Efeso tutto aveva origine dal Fuoco. Per Empedocle di Agrigento, la materia era un miscuglio dei quattro elementi sopradetti: Acqua, Terra, Aria e Fuoco.

L'IDEA DI ARISTOTELE

Io ho fatto mie le idee dei miei colleghi. Vi ho aggiunto qualcosa e così ho enunciato la dottrina dei Quattro Elementi, che verrà tenuta per buona per quasi duemila anni. Gli elementi come li intendete oggi sono un'altra cosa, ma se ci fate caso "terra, acqua, aria e fuoco" si possono far corrispondere a "solido, liquido, gassoso e plasma", cioè i quattro stati della materia come oggi li intende la fisica moderna.

Oggi si sa che il 99% della materia dell'Universo (il Sole, le stelle, le nebulose) è nello stato di plasma.

26 Democrito

Democrito di Abdera negli stessi anni ha un'idea formidabile: la materia si può dividere in elementi sempre più piccoli fino ad arrivare a elementi piccolissimi e indivisibili. "Indivisibile" in greco antico si diceva "atomo". Ecco, per Democrito la materia era fatta di atomi indivisibili. In realtà oggi sappiamo che anche gli atomi sono divisibili in particelle più piccole, ma la sua idea non era affatto male, anche se magari era nata davanti al mare e a un bicchiere di vino resinato.

27 Eratostene

Intorno al 220 a.C. Eratostene è direttore della Biblioteca di Alessandria. È una biblioteca straordinaria. È stata fondata da Tolomeo I, ex generale di Alessandro il Grande. Vi lavorano scienziati e filosofi di tutto il mondo antico. Eratostene è un bibliotecario molto speciale: ha deciso di misurare la lunghezza più grande della Terra, ovvero la sua circonferenza. Non l'ha mai fatto nessuno.

Do per scontato che la Terra sia rotonda.
Eratostene

MI BASTA UN OBELISCO!

ALESSANDRIA

EGITTO

ASSUAN

UN LAMPO GEOGRAFICO

Mi era stato raccontato che il giorno del solstizio d'estate, a Sirene (oggi Assuan, città sul Tropico del Cancro) a mezzogiorno non c'è uno straccio d'ombra. Si può persino vedere illuminato dalla luce del Sole il fondo dei pozzi! Questo avviene mentre il 21 giugno ad Alessandria d'Egitto un po' d'ombra c'è sempre. I raggi del Sole arrivano paralleli sulla superficie terrestre, ma a mezzogiorno a Sirene sono perpendicolari, mentre nelle città a nord giungono con una certa inclinazione. Così a mezzogiorno di un 21 giugno ad Alessandria misuro la lunghezza dell'ombra di un obelisco e quindi l'angolo formato dai raggi solari: è 7° e 12'. Poi mando un mio assistente fino a Silene con il compito di misurare la distanza tra Alessandria e Silene. Ecco i due dati necessari per calcolare la circonferenza della Terra. L'angolo di 7° e 12' è pari a un cinquantesimo di 360° ovvero dell'angolo giro. La circonferenza della Terra sarà cinquanta volte la distanza percorsa dal mio assistente tra Alessandria e Silene, dalla quale ricavo il diametro della Terra (non lontano dal vero: 40 009 152 km).

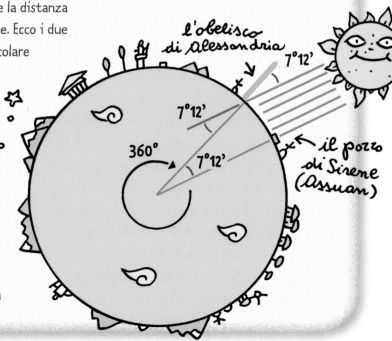

l'obelisco di Alessandria

7°12'

7°12'

360°

7°12'

il pozzo di Sirene (Assuan)

28 Ipparco

UN LAMPO ASTRONOMICO

Ipparco di Nicea è un collega di Eratostene. Considera fisse due stelle e rileva alla stessa ora la posizione della Luna rispetto ad esse. Lo fa contemporaneamente a un suo collega di un'altra città. Poi, come Eratostene, usa la geometria e calcola la distanza tra la Terra e la Luna.

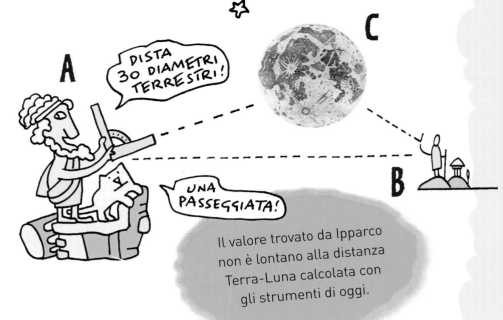

Il valore trovato da Ipparco non è lontano alla distanza Terra-Luna calcolata con gli strumenti di oggi.

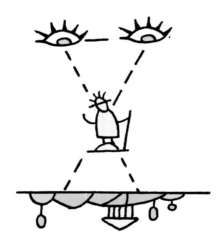

PROVARE PER CREDERE

Ipparco si è reso conto che se si osserva un oggetto da un punto e poi ci si muove, l'oggetto risulta spostato rispetto agli altri presenti sullo sfondo (per verificare il fenomeno basta guardare un oggetto vicino chiudendo un occhio e poi l'altro). Se si misura lo spostamento e gli angoli tra le due osservazioni si può risalire alla distanza dell'oggetto. Ipparco ha scoperto la "parallasse". Non è il solo lampo di genio di Ipparco: ha inventato le tavole trigonometriche, che consentono di risolvere qualsiasi triangolo, ha classificato quasi mille stelle e costruito l'astrolabio, uno strumento per predire la posizione dei corpi celesti.

IL LAMPO DI EUCLIDE

Ipparco ed Eratostene hanno usato le proprietà della geometria, disciplina in realtà praticata da più di mille anni. È servita a tracciare i canali di Babilonia e a costruire le piramidi. Chi ha l'idea di raccogliere tutti i teoremi in un unico libro è Euclide. Anche Euclide lavora e insegna alla Biblioteca di Alessandria. Il suo manuale ha per titolo *Elementi*. Diventerà – parola di Isaac Newton – uno dei libri più importanti della Storia. In effetti per centinaia di anni sarà il libro più consultato dopo la Sacra Bibbia. Persino la traiettoria che disegna una astronave nello spazio rispetta i teoremi contenuti nei suoi *Elementi*.

29 L'alchimia

In Egitto si purificano sali ed essenze per conservare i morti. Qui nasce l'alchimia, che in origine vuol dire "arte della terra d'Egitto". Nei laboratori della Biblioteca di Alessandria l'alchimia diventa una "quasi-scienza" dove si sperimentano anche nuovi materiali e nuovi congegni.

UN'IDEA LEGGENDARIA

Sempre in Egitto nasce l'ottone, una lega di rame e zinco, che ha lo stesso colore e aspetto dell'oro. Dall'ottone nascerà la leggenda di poter trasformare il piombo in oro, magari con l'aiuto di una magica "pietra filosofale".

È un'idea impossibile, che però aprirà la strada alle scoperte della chimica moderna. Qui si studiano le strane proprietà delle "arie" e dei "vapori" e si costruiscono persino modellini capaci di sollevarsi da terra, vincendo la gravità. Qui Erone, filosofo e ingegnere, fa muovere i primi automi e inventa un congegno a vapore che si chiama "eolipila". Prende il nome da Eolo, il dio del vento. È una piccola turbina, un vero e proprio motore in miniatura, ma nessuno ne vede l'utilità.

LAMPO DI GENIO AL MOMENTO SBAGLIATO

L'idea di Erone è in anticipo di quasi 2000 anni. Cesare e le legioni romane non viaggeranno in treno. La rivoluzione industriale può attendere. Il mondo funzionerà per molti secoli ancora con la forza motrice fornita da milioni di persone tenute in schiavitù.

30 Archimede

Sono famoso per aver detto "Eureka! Eureka!" ovvero "Ho trovato! Ho trovato!", mentre ero nella mia vasca da bagno. Avevo trovato il modo

di smascherare un orafo imbroglione che invece di realizzare una corona d'oro, l'aveva realizzata in oro e argento. La corona aveva lo stesso peso dell'oro che gli era stato dato da Re Gerone, ma il volume era più grande: immerso nell'acqua il liquido spostato era superiore a quello che avrebbe spostato una corona d'oro!

IDEE MONDIALI

L'altra frase che mi ha reso famoso è: "datemi una leva e vi solleverò il mondo". Dichiarazione megalomane, direte voi. Ma l'ho detta al momento giusto: con un sistema di carrucole che funzionano con il principio della leva ho spostato la nave più grande della storia antica, la *Siracusia*. Mio è anche il principio che porta il mio nome: "un corpo immerso in un fluido riceve una spinta verso l'alto pari al peso del fluido spostato". È la legge fisica che fa galleggiare le navi e volare le mongolfiere.

MAESTRO NELL'ARTE DELLA GUERRA

Archimede trova soluzioni ai problemi più vari, dal sollevamento dell'acqua con una vite di sua invenzione alle terribili macchine che ha costruito per difendere la sua città: catapulte, artigli meccanici, gru, pesi oscillanti e infine i suoi straordinari specchi ustori. Nessuno in realtà è mai riuscito a ricostruirli: secondo i suoi contemporanei riflettevano e concentravano la luce del sole fino al punto di incendiare – a distanza – le navi nemiche. Forse usò qualche trucco rimasto segreto, resta il fatto che il suo lampo di genio costò ai Romani l'incendio e l'affondamento della flotta che assediava Siracusa.

UN MONDO DI LAMPI

**Le idee e le invenzioni non hanno confini.
Prima o poi arrivano dappertutto.
Quando trovano il terreno adatto danno luogo
a effetti straordinari e inaspettati.**

*Tutte le idee che hanno
enormi conseguenze sono
sempre idee semplici.*
Lev Tolstoj

LAMPI IN ORIENTE

Ci sono idee che fanno andare avanti il mondo. Altre lo fanno tornare indietro: sono
le idee della guerra, della superstizione, del fanatismo. Quando l'Impero Romano
si frantuma, un'ombra scura si stende per più di mille anni su gran parte del Mediterraneo
e dei paesi europei. Ma il mondo è grande. Negli stessi secoli nuove civiltà fioriscono
in Sud America, piccole e grandi innovazioni vengono introdotte in Oriente, in India e Cina.

31 La bussola

*Anch'io da ragazzino ho ricevuto una
bussola in regalo da mio padre. Ne sono
rimasto così affascinato che ho cominciato
a interessarmi di fisica e di elettricità.*
Albert Einstein

IL CAMPO MAGNETICO TERRESTRE

Intorno all'anno Mille, in Cina è scoperta la strana
proprietà che ha un ago magnetizzato. Se intinto nell'olio
e poi messo a galleggiare in una ciotola d'acqua, la sua
punta indica sempre il nord. È la bussola, indispensabile per
orientarsi negli oceani, utilissima ai mercanti
cinesi, poi agli Arabi, infine ai navigatori
europei. Ma la bussola non indica solo una
direzione. Rivela la presenza di un campo
magnetico fortissimo, quello della Terra.
Sarà la bussola a far venire un'idea geniale
a uno studioso di elettricità molti secoli dopo:
messa accanto a un filo dove passa corrente elettrica,
l'ago viene deviato dalla consueta direzione. Questa scoperta
porterà all'invenzione del motore elettrico e della dinamo.

32 La polvere da sparo

In Cina viene anche inventato un composto destinato a cambiare il corso della storia. La formula è semplice: salnitro (nitrato di potassio, un sale che si forma anche sui vecchi muri umidi), zolfo e carbone. È detto anche polvere pirica, o meglio polvere da sparo. Quando è incendiata esplode, se si aggiungono altri sali il risultato è un colorato… fuoco d'artificio.

CANNONI VEGETALI

L'alchimista cinese che l'ha scoperta forse stava cercando di ottenere una polvere magica, destinata a stupire con un effetto speciale l'imperatore di turno. Il lampo di genio è quello di rendersi conto delle possibilità aperte da questa miscela: non solo esplosioni e fuochi d'artificio, ma anche mine, bombe, razzi e infine cannoni.

Già, perché dopo il collaudo dei primi razzi e proiettili esplodenti qualcuno inventa i primi cannoni. Sono ricavati da… canne di bambù giganti. Nel '400 la polvere nera arriverà in Europa e rivoluzionerà il modo di fare la guerra. I vecchi castelli saranno abbattuti, le corazze diventeranno inutilizzabili. E cambierà il corso della storia.

33 La carta (e la stampa)

Sempre cinese è l'idea della carta, ovvero un materiale di basso costo – rispetto al papiro e alla pergamena – sul quale disegnare gli eleganti ideogrammi della scrittura cinese. Ma ancora più straordinaria è l'idea della stampa, perché moltiplicherà le possibilità di diffondere le idee. Invece di scrivere a mano, arte tuttora tenuta in grande considerazione, i saggi cinesi creano stampi di legno e ceramica con i loro ideogrammi. C'è un problema: la scrittura cinese prevede un gran numero di ideogrammi, cosa che rende l'uso della stampa abbastanza complicato; occorre infatti una piccola montagna di "caratteri" diversi per stampare una pagina. Sarà molto più facile il suo uso in Europa, quando la stampa sarà reinventata da Gutenberg: qui i caratteri mobili necessari sono quelli dell'alfabeto, poco più di venti.

34 Lo zero

UN'IDEA CHE VALE MILIONI

Intorno all'anno Mille un matematico indiano scrive sul suo taccuino una nuova cifra. Decide che da sola sta per "vuoto" e non vale nulla, ma accanto a un'altra, ne moltiplica il valore di dieci volte. Questa cifra, che oggi chiamiamo "zero", si diffonde subito tra i matematici dei paesi vicini, come cifra magica e curiosa. All'inizio lo zero non ha molto successo tra i mercanti e chi deve far di conto. Non sanno cosa farsene, perché non sanno fare operazioni scritte. Chi conta, somma o divide, lo fa con l'abaco. Per scrivere le decine, le centinaia, le migliaia si usano cifre apposite, come quelle romane: dieci si scrive X, cento C, e così via.

La cosa straordinaria è che con nove cifre e lo zero gli arabi possono scrivere qualsiasi numero.

Leonardo Fibonacci
(1170 - 1250)

Lo zero e le altre 9 cifre indiane ora sono usate in tutto il mondo. Sono dette "arabe" perché diffuse dagli Arabi in Occidente. Ma in Europa per qualche tempo lo zero è considerato addirittura un'invenzione del diavolo, per le sue magiche proprietà.

Senza lo zero non solo non potremmo scrivere facilmente i grandi numeri e fare operazioni nel sistema decimale. Ma anche i computer avrebbero non poche difficoltà: funzionano infatti con due sole cifre, uno e zero.

35 Gutenberg

L'INVENZIONE DI JOHAN

Salve, mi chiamo Johan Gutenberg e vi assicuro che in gioventù non avevo questo aspetto da Babbo Natale. Questo mio ritratto è stato disegnato un secolo dopo da un artista che non mi ha mai visto in faccia. Sono nato a Magonza, città tedesca sul fiume Reno, intorno all'anno 1400. In Europa, per mia fortuna, i secoli più oscuri stanno finendo e la mia famiglia appartiene alla piccola nobiltà. Mio padre commercia metalli e gioielli. L'ho fatto anch'io per un certo tempo. Poi mi è venuta un'idea, una grande idea. I libri nel mio tempo sono rarissimi e preziosi come gioielli. Sono tutti scritti a mano. Alcuni sono vere e proprie opere d'arte ricopiate con pazienza da monaci o scrivani. Occorre più di un anno per produrre una copia della Bibbia! Bene. Io ho inventato un sistema per moltiplicare i libri!

> ANCH'IO AVREI USATO VOLENTIERI IL COMPUTER!

> MA SENZA DI ME AL COMPUTER NON CI SARESTE MAI ARRIVATI!

> L'invenzione della stampa è il più grande avvenimento della storia. È la rivoluzione madre.
> Victor Hugo

LA STAMPA A CARATTERI MOBILI

Johan produce, fondendo in piccoli stampi, una gran quantità di "lettere" di piombo: a, b, c… Con questi caratteri compone i testi delle pagine. Poi usa un torchio da uva per premere il foglio di carta sulla pagina composta, poi un altro foglio, un altro e così via. Rispetto ai mezzi di oggi sembra una procedura lunga e macchinosa: per stampare 100 copie di una pagina occorre un'intera giornata, ma era un tempo irrisorio in confronto al tempo necessario a copiarle a mano, come avveniva prima.

> FUSIONE DEI CARATTERI
> Fzzz

L'invenzione di Gutenberg si diffonde rapidamente e nel giro di pochi decenni vengono stampati più libri di quanti ne erano stati scritti e ricopiati in tutta la storia dell'umanità. L'effetto più straordinario sarà che le nuove idee ora potranno diffondersi più rapidamente. E niente e nessuno potrà fermarle.

> COMPOSIZIONE…
> …E STAMPA!
> PUF!

36 Leonardo

EHI, CAPO... FUNZIONA?

È UNA MIA IDEA, PAROLA DI LEONARDO

Nel vostro tempo sarò considerato il più grande genio del Rinascimento. Grazie, ne sono lusingato. In effetti sono stato artista, scienziato, architetto, designer, inventore. Di lampi di genio ne ho avuti tantissimi: dalle lenti a contatto al carro armato, dalle pinne al sottomarino, dalla penna stilografica alla città ecologica. Quando sono nato, nel 1452, gli europei non avevano ancora "scoperto" l'America. Per la maggior parte dei miei contemporanei il mondo era ancora fermo al centro dei cieli che ruotavano attorno a lui. Chi studiava il corpo umano era accusato di stregoneria, chi lavorava con i metalli era guardato con sospetto, insomma chi aveva idee non conformiste – come me – rischiava il rogo. Il mio più grande desiderio era volare e far volare l'uomo. Così ho studiato il volo degli uccelli e ho costruito vari tipi di ali battenti. I miei collaboratori le hanno anche collaudate...

PRINCIPIANTI!

AAAH!

CRASH!

CRASH

NO!

MEGLIO DELLE ALI

Le ali battenti non hanno il successo desiderato da Leonardo. I materiali sono troppo pesanti. Ma l'idea ormai è lanciata e molti altri ripeteranno il tentativo. Così Leonardo ha un'altra idea: la "vite aerea". Anch'essa è troppo pesante per alzarsi da terra con l'unica forza motrice disponibile nel suo tempo: la forza delle braccia. Ma il principio è giusto: è un'elica. E le eliche si "avvitano" nell'aria facendo avanzare aeroplani e sollevare gli elicotteri. Leonardo ha ragione, tutti voleranno. È solo questione di tempo.

SE NON PER MERITO MIO, MA PER MERITO DI UN ALTRO... L'UOMO VOLERÀ !

Detta vite si fa femmina nell'aria e monterà in alto.
Leonardo da Vinci

 # 37 L'America

L'America è abitata dall'uomo da migliaia di anni, ma fino al XV secolo in Europa e in Asia nessuno ne supponeva l'esistenza. Poi Cristoforo Colombo ha la grande idea di raggiungere l'Oriente navigando verso Occidente. Dopo giorni e giorni di navigazione nell'ottobre 1492 incontra isole e coste sconosciute. Torna in Spagna convinto di aver raggiunto le Indie. Al suo re porta persino alcuni indigeni che da questo momento verranno chiamati… indiani!

Lo smentirà il suo collega Amerigo Vespucci, navigatore fiorentino al servizio del re del Portogallo. Amerigo, navigando da nord a sud, non trova niente che assomigli alle Indie. L'idea che sia un nuovo continente è sua.

Il cartografo tedesco Martin Waldseemüller disegnerà la nuova terra in una mappa del mondo. La mappa è allegata a una descrizione dei viaggi di Vespucci. Dopo la stampa del suo lavoro tutti chiameranno "America" il nuovo continente.

IDEE ROTONDE

Non basta aver "scoperto" l'America. C'è ancora chi crede che la Terra sia piatta come una focaccia e che agli antipodi si cada a testa in giù nel vuoto sottostante. Qui occorre il lampo di genio e la testardaggine di un giovane portoghese.

38 Magellano

UN'IDEA TOSTA

I sapienti sono convinti che la Terra sia rotonda ma nessuno lo ha mai verificato di persona. Io sono

portoghese e convinco il re di Spagna che sarebbe un buon affare poter raggiungere l'India e le Isole delle Spezie come voleva fare Cristoforo Colombo, da ovest a est. Così il 10 agosto 1519 dal porto di Siviglia parto con cinque navi. Solo una, la *Victoria*, sopravviverà alla fantastica avventura e concluderà il suo giro del mondo tornando in Spagna il 6 settembre 1522. Ha dovuto superare un oceano immenso di cui nessuno immaginava l'esistenza. Prenderà il nome che gli ho dato: oceano Pacifico. Mi sembrava tranquillo. In realtà non lo è affatto.

ASIA

È PROPRIO TONDO!

SPEZIE!

Mia convinzione è che ci sia un passaggio oltre il quale potremo veramente raggiungere le Indie.

Ferdinando Magellano

LE RAGIONI DI UNA IMPRESA PAZZESCA

Il fine dell'impresa di Magellano è raggiungere da occidente le favolose Isole delle Spezie, le Molucche, allora di proprietà del re di Spagna. Sono situate a nord-ovest dell'Australia, allora sconosciuta. Le "spezie" che oggi si trovano senza problemi al supermercato (come la noce moscata, il pepe, i chiodi di garofano…) all'epoca in Europa erano rarissime e pagate a peso d'oro. In pratica l'America è stata "scoperta" da Colombo e oltrepassata da Magellano per dare sapore ai piatti della cucina nordica e mediterranea.

UN PICCOLO MONDO IN MEZZO ALL'UNIVERSO

Con Magellano inizia un'era di grandi esplorazioni, ma quando la sua missione è conclusa è ancora opinione comune che la Terra sia ferma e che attorno a lei ruotino le stelle, la Luna e il Sole. In effetti è quello che sembra se guardiamo il cielo dalla nostra finestra, sia a nord sia a sud del mondo. Ma i pianeti lassù fanno stranezze: se si osservano Giove, Venere e Marte, ci si accorge che fanno pazzi percorsi tra le stelle. Talvolta sembra persino che tornino indietro. Claudio Tolomeo, astronomo greco vissuto nel II sec d.C., ha elaborato un modello di cosmo che consente di prevedere la posizione dei pianeti, pur avendo al suo centro la Terra. È detto sistema tolemaico.

Stretto di Magellano

Il sistema tolemaico: tanti cieli concentrici e perfetti mossi talvolta da creature angeliche.

39 Copernico

PAROLA DI NICCOLÒ

In realtà la mia idea non è nuovissima. Per esempio l'aveva già sostenuta Aristarco di Samo ben 2000 anni fa, peraltro con ben poco seguito. Io sono un chierico precario che ha studiato teologia all'università di Cracovia. Arrotondo lo stipendio lavorando come scrivano, medico e astrologo. Però ho imparato a far uso della matematica e della geometria per descrivere ciò che vedo con i miei occhi nel cielo. I conti non mi tornano. La Terra non è affatto ferma in mezzo all'Universo. Le gira attorno solo la Luna. Ho scritto un libro, *De Revolutionibus orbium coelestium* ("Sulle orbite dei corpi celesti") ma ho timore a pubblicarlo. Dicono che sono prudente, in realtà ho le mie buone ragioni: contiene un'idea così straordinaria e sovversiva che temo per la vita di chi la sosterrà.

QUI LO DICO, QUI LO NEGO...

Copernico sa quello che dice. Dopo di lui in tutto il mondo si parlerà di "rivoluzione copernicana". Il libro dove illustra la sua grande idea sarà pubblicato solo in punto di morte, nel 1543. Anzi la leggenda racconta che lui stesso vedrà la prima copia, poco prima di lasciare per sempre questo mondo. Ma così potrà ricevere gli ultimi sacramenti ed essere al riparo da ogni accusa di eresia. Non sarà così per i suoi sostenitori.

> Un'idea che non sia un po' pericolosa non merita di essere chiamata idea.
> Oscar Wilde

CHE IDEA!

È PAZZO QUESTO COPERNICO!?

TU COSA VEDI?

IL SOLE CHE SI MUOVE!

40 Keplero

PAROLA MIA

La teoria del mio collega Copernico mette il Sole al centro dell'Universo, ma ha alcuni difetti.

Primo: il Sole – e voi lo sapete meglio di me – non è affatto al centro del cosmo, anzi è solo una modesta stella in un braccio secondario della nostra galassia.

Secondo: i pianeti, Terra compresa, non girano in perfetti cerchi attorno al Sole. Però con le mie correzioni il sistema copernicano funziona, molto meglio di quello degli antichi. Anzi le mie leggi funzionano così bene che le usate anche voi per calcolare le orbite dei satelliti artificiali.

COSÌ VA MEGLIO!

Terra
Marte
Mercurio
Sole
Venere
Giove

TEMPI DURI

GRAZIE, KEPLERO!
DI NULLA!

Keplero è un astronomo tedesco vissuto tra il 1571 e il 1630. Astrologo, paesaggista, musicista e scrittore, è anche autore del primo racconto di fantascienza nel quale un uomo sbarca sulla Luna. Ma sono tempi duri in Europa. Chi non ha idee conformiste rischia grosso. Persino sua madre subisce un processo per stregoneria!

LE LEGGI DI KEPLERO

Prima Legge: ogni pianeta ruota attorno al Sole percorrendo un'orbita piana a forma di ellisse: il Sole occupa uno dei due fuochi dell'ellisse. Il punto di massima distanza dal Sole si chiama "afelio", quello di minima distanza si chiama "perielio".

Seconda legge: la velocità del pianeta non è uniforme, ma accelera quanto più è vicino al Sole.

Terza legge: il quadrato del tempo impiegato da un pianeta a percorrere la sua orbita è proporzionale al cubo della sua distanza media dal Sole.

C'È CHI SOSTIENE QUESTE PAZZE TEORIE?
SÌ! ANCHE SOTTO TORTURA!

41 Galileo

IL MIO METODO

Salve a tutti, sono Galileo Galilei, figlio di Vincenzo, musicista e mercante di stoffe. Sono nato a Pisa, nel 1564, quando la famosa torre era già pendente. Come mio padre e mio fratello ho amato la musica e le piacevolezze della vita. Ma soprattutto sono lo scienziato e il filosofo che ha dimostrato quello che Copernico sosteneva

IL MIO LAMPO DI GENIO?

USARE IL CANNOCCHIALE PER GUARDAR LE STELLE!

senza solide prove: la Terra orbita attorno al Sole e non viceversa. Ho inventato quello che ora chiamate "metodo scientifico": la dimostrazione di una teoria, o la verifica di una semplice idea, deve essere fatta attraverso l'osservazione e una

serie di esperimenti ripetibili e condivisibili. Se l'esperimento è ripetibile vuol dire che è una teoria valida e condivisibile. Altrimenti non lo è. Rimane un'ipotesi o... un miracolo!

TRE SCOPERTE DI GALILEO

SI PUÒ!

Galileo con il cannocchiale scopre tre pianetini attorno a Giove. Oggi sappiamo che erano tre dei suoi tantissimi satelliti. Ma è un'osservazione straordinaria: dimostra che nel cielo ci sono tanti corpi celesti che orbitano attorno ad altri corpi celesti. Quindi può farlo anche la Terra.

L'Universo è un libro aperto ma per leggerlo bisogna conoscere la lingua con la quale è scritto: la lingua della matematica e della geometria.

Galileo osserva il movimento delle macchie solari. Sono enormi regioni più scure che si muovono sulla superficie del Sole giorno dopo giorno. Spariscono e poi riappaiono dalla parte opposta. È il Sole che ruota attorno al suo asse! Se il Sole ruota, può farlo anche la nostra Terra.

LE MACCHIE SI SPOSTANO E RIAPPAIONO!

STO RUOTANDO SU ME STESSO!

SI PUÒ!

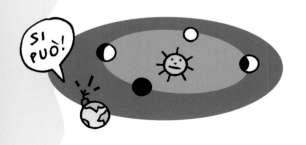

SI PUÒ!

Galileo osserva Venere e scopre che presenta delle "fasi" come la Luna: Venere crescente, Venere piena, Venere calante. Questo avviene perché è tra noi e il Sole, intorno al quale orbita… come fa la Terra! Il sistema copernicano può così difendersi dai suoi più ostinati nemici.

PROCESSO A UNA GRANDE IDEA

Galileo, per aver sostenuto l'idea di Copernico,
è convocato a Roma e processato dal tribunale della Santa
Inquisizione. Rischia la tortura e il rogo per il reato di eresia.
È costretto ad abiurare, ovvero a disconoscere le sue idee.
In realtà l'umanità non solo deve accettare di non essere
più al centro dell'Universo. Deve convincersi che il nostro
pianeta – anche se non ce ne accorgiamo – ruota come
una trottola attorno al proprio asse a più di 1600 km orari
all'equatore, e orbita a più di 100 000 km all'ora
attorno al nostro Sole! Sono idee difficili
da digerire anche… oggi.

Eresia: dottrina contraria
a una verità di fede.

IL LAMPO INDOTTO

Hans Lippershey è l'ottico tedesco-olandese creatore e diffusore del cannocchiale.
Ha costruito i primi prototipi nel 1608, su commissione del governo olandese.
Una sua relazione giunge allo scienziato veneziano Paolo Sarpi, che ne parla con l'amico
Galileo. Senza indugi e senza aver mai visto l'oggetto, provando e riprovando, Galileo
ne costruisce un esemplare che propone subito al Doge e al Gran Consiglio di Venezia.
Poi, in una notte stellata Galileo punta il cannocchiale verso la Luna…

ALTRI LAMPI DI GALILEO

Galileo non solo propone con forza le sue idee ma inventa e migliora
strumenti scientifici. Poi mette in scena esperimenti talvolta spettacolari.
Inventa il termoscopio ad alcol, antenato del termometro. Scopre
l'isocronismo del pendolo. Utilizza dei piani inclinati per ricavare
il valore dell'accelerazione di gravità. Davanti a un pubblico stupito
getta dalla torre di Pisa una serie di sfere di materiali diversi dimostrando
che toccano terra nello stesso istante. Con lui ha inizio la scienza
moderna e una nuova serie di lampi di genio.

LAMPI UNIVERSALI

Tutto ciò che esiste nel nostro Universo, dalla Luna alla mela che ci cade in testa, è sottoposto a leggi e forze naturali delle quali è impossibile non tenere conto. Chi scopre la più potente è un neolaureato di Cambridge.

42 Newton

PAROLA DI ISACCO

Bene, la Terra è rotonda e si muove. Grazie Copernico, grazie Keplero, grazie Galileo. Abbiamo persino digerito l'idea che la Terra ruota come una trottola a velocità incredibile e percorre la sua orbita attorno al Sole a 100 000 km/h. Ma cosa orchestra il fantastico moto delle stelle sopra e sotto di noi?

A quali regole straordinarie obbediscono i pianeti? Che cosa impedisce loro di fuggire dal nostro Sistema Solare e perdersi nel buio dello spazio? Cosa non ci fa cadere a testa in giù agli antipodi? Cosa ci impedisce, all'equatore, dall'essere scaraventati per la tangente alla velocità di un meteorite? Sono domande che non riguardano solo

La verità si trova sempre nella semplicità, mai nella confusione...
Isaac Newton

i massimi sistemi planetari: quando ci pesiamo o solleviamo un oggetto abbiamo a che fare con le stesse leggi che regolano i rapporti tra i corpi celesti. Queste leggi le ho scoperte io, Isaac Newton.

L'UNIVERSO FUNZIONA CON LE MIE LEGGI!

ESAGERATO?

NO!

Isaac Newton inizia a pensare alle sue straordinarie leggi quando è un giovane laureato di Cambridge. Non è ancora la prestigiosa università di oggi e gli edifici che si affacciano sul fiume Cam non hanno bagni e tanto meno servizi igienici. È un luogo popolato da una moltitudine di studenti e da un numero imprecisato di topi di fogna, mentre l'Inghilterra intera è investita da una terribile pestilenza.

A Cambridge non era il caso di restare. Scappavano tutti. Nei luoghi sporchi e affollati – come la mia università – il contagio è inevitabile. Chi ha un po' di sale in zucca, capisce come finirà. A Londra la peste sta uccidendo migliaia di persone. Così sono tornato a casa, nella mia fattoria di Woolsthorpe. In campagna non c'è folla, tra pecore e galline si vive in modo più sano e il rischio è minore. Posso studiare nella mia stanza. Passeggio per i campi. Sotto un melo mi fermo. Nel silenzio una mela matura mi cade accanto mancandomi di poco. Non lo sospetto, ma diventerà la mela più famosa dell'Universo, persino più famosa di quella morsicata di Steve Jobs.

L'aneddoto della mela è raccontato e diffuso da un personaggio molto particolare: Voltaire, filosofo francese in esilio a Londra e grande estimatore di Newton. Forse non è verissimo, forse Voltaire lo ha reso letterario e popolare, ma la possibilità che un modesto frutto abbia fatto scaturire il lampo di genio è troppo bella per non essere presa per buona. Così anche per noi la grande idea di Newton comincia con una mela.

LE LEGGI DI NEWTON

Prima legge: un corpo (mela o astro che sia) persevera nel suo stato di riposo o di movimento rettilineo uniforme se non interviene una forza che modifica il suo stato. Tutti i corpi (celesti e o no) attraggono altri corpi verso il loro centro.

Seconda legge: la variazione del movimento è proporzionale alla forza applicata; più questa è forte, più aumenta la velocità. Quanto più grande è il corpo, maggiore è la sua forza di attrazione.

Terza legge: per ogni forza ne esiste un'altra uguale e contraria. Se spingiamo un sasso, questo resiste con una forza uguale e contraria alla nostra. Riusciremo a spostarlo solo se la nostra forza supera la sua. La Terra attrae la Luna, e la Luna resiste con una forza contraria, con il risultato che orbita attorno alla Terra, e attrae gli oceani creando le maree. Anche la mela attrae la Terra, ma la forza di quest'ultima è immensamente più grande di quella esercitata dalla mela. Così percepiamo solo l'attrazione della Terra.

43 La banda della luce

Durante il soggiorno nella casa di campagna, il giovane Newton fa un'altra straordinaria osservazione: la luce, ovvero la luce bianca intorno a noi, quella del Sole o delle lampadine, in realtà non è affatto bianca. È invece composta da vari colori che vanno dal rosso al violetto. Lo scopre facendo passare – attraverso un foro nella porta – un piccolo fascio di luce fino a un prisma di vetro, scomponendola così nei colori dell'arcobaleno. Con un altro prisma può ricomporli e ottenere di nuovo la luce bianca. Chiama questa banda di colori "spettro" perché senza prisma è invisibile come… i fantasmi.

UNA COSA MISTERIOSA

L'idea non ha immediate conseguenze. Anzi Newton sostiene che la luce sia composta da corpuscoli. Altri colleghi – come l'astronomo Christiaan Huygens – sostengono che i raggi solari sono onde che arrivano fino a noi.

*Newton?
Un grande che sbaglia.*
Christiaan Huygens

Nel secolo XX si scoprirà che la luce consiste in fotoni, ovvero "pacchetti" di onde elettromagnetiche, e ci si renderà conto che lo "spettro" invisibile è molto più grande e comprende i raggi infrarossi, i raggi ultravioletti e una infinita banda di onde più corte e cortissime, tutte invisibili. Sarà l'inizio di un mondo nuovo.

44 Il vuoto di Otto

La luce viaggia anche nel vuoto interstellare e l'idea di vuoto affascina tutti. Un borgomastro della città di Magdeburgo, Otto von Guericke, appassionato di astronomia e fisica, cerca di crearlo artificialmente. Realizza persino uno spettacolare esperimento con il quale dimostra la straordinaria forza della pressione dell'aria che ci circonda.

Neppure otto coppie di cavalli riescono a separare le due semisfere quando all'interno è stato creato il vuoto. Le due parti sono premute e tenute insieme dalla pressione atmosferica!

45 Torricelli

Dopodiché ho inventato il barometro.
Evangelista Torricelli

Intanto un allievo di Galileo, Evangelista Torricelli, dà la spiegazione a un misterioso fenomeno: nemmeno la più potente pompa idraulica, anche creando il vuoto più perfetto come la pompa di Otto von Guericke, riesce a sollevare acqua a una profondità maggiore di 10 metri. Torricelli spiega il mistero con la pressione atmosferica, che controbilancia una colonna di mercurio di 76 cm o una d'acqua di circa 10 metri. L'acqua non è "tirata su" dall'azione diretta della pompa, ma è la pressione atmosferica che preme sulla superficie dell'acqua, spingendola nel vuoto creato dalla pompa.

46 Newcomen

PAROLA DI THOMAS

Nel vostro tempo direte che ho dato inizio alla rivoluzione industriale. Detto tra noi, in vita non ho avuto grandi riconoscimenti. Il mio lavoro? Sono un commerciante: vendo picconi, carrelli e altri utensili per le miniere, luoghi terribili nel mio secolo. Vi lavorano anche bambini di cinque anni, per quattordici ore al giorno. Molti affogano nell'acqua che inonda le gallerie. Non c'è un modo economico per prosciugare i pozzi profondi, perché anche le pompe più potenti non "pescano" oltre 10 metri di profondità. Due inventori, Denis Papin e Thomas Savery, hanno lanciato l'idea di sollevare l'acqua usando la "forza del fuoco". Precedentemente Christiaan Huygens aveva tentato persino con motori "a polvere da sparo", con non pochi problemi. Poi ho costruito un motore di mia invenzione. Funziona che è una meraviglia ed è più economico di una macchina mossa da 5 cavalli. Ma non ho amici alla corte d'Inghilterra, non appartengo all'alta società come il capitano Thomas Savery, così ho dovuto accettare di diventare suo socio perché questo furbetto aveva ottenuto un brevetto su "tutte le macchine che muovono l'acqua con l'uso del fuoco".

L'IDEA DI BREVETTO

È un titolo giuridico che dà a chi lo detiene il diritto esclusivo di sfruttare un'invenzione e di concederlo ad altri. Mira a tutelare chi ha una buona idea che arricchisce la comunità e consente all'autore di ricavarne denaro. Non sempre l'autore riesce a dimostrare la novità ed esclusività della sua idea. E non sempre il brevetto è rilasciato a chi ha avuto l'idea. La prima legislazione che prevede il rilascio di un brevetto è la Repubblica di Venezia, con un atto pubblico del 1474. In realtà anche in tempi remoti re e imperatori concedono "patenti" agli inventori e agli artigiani autori di utili innovazioni.

Quando nel 1729 Thomas Newcomen muore, centinaia di macchine a vapore funzionano in mezza Europa, ma ne ha ricavato ben poche sterline.

47 Watt & Company

Il motore di Newcomen è utilizzabile solo nelle miniere. Chi lo migliora è James Watt, figlio di un mastro d'ascia e appassionato meccanico. Mentre lavora come costruttore di strumenti all'università di Glasgow, progetta un motore veramente efficiente. Nel 1769, scaduto il brevetto di Savery, Watt può brevettare il suo motore come "il nuovo metodo per diminuire il consumo di vapore e di combustibile nelle macchine a vapore". Il suo motore sarà usato nei mulini, nelle industrie tessili e meccaniche, nelle cartiere, per fresare cannoni, insomma dappertutto.

IL VAPORE METTE LE RUOTE

Nel 1801, un giovane ingegnere inglese, Richard Trevithick, dopo aver costruito un modellino del motore di Watt lo installa su un mezzo capace di portare a bordo alcune persone. Lo usa per portare in gita i suoi amici. Qualche anno dopo lo espone a Londra: qui si muove su rotaie e per vederlo bisogna pagare un biglietto d'ingresso.

Nessuno viaggerà mai a bordo di un trabiccolo puzzolente e pericoloso come questo!
James Watt

Nel 1825 tra Stockton e Darlington viene inaugurata la prima ferrovia del mondo. È lunga 17 km. Il mezzo viene battezzato "Locomotion" dal suo costruttore George Stephenson. È la prima locomotiva della storia.

Qualche anno prima, tra il 1803 e il 1807, era stato applicato un motore di Watt a un battello americano e a un battello francese. Le prime navi a vapore sono ostacolate dai battellieri che vedono in esse temibili concorrenti. Ma è solo l'inizio dell'inarrestabile diffusione dei motori a vapore. Per più di cento anni muoveranno la maggior parte delle macchine

e dei congegni industriali. Tuttora, tre secoli dopo, molte macchine funzionano ancora grazie al vapore, come le grandi turbine che producono energia elettrica nelle centrali a combustibili fossili e nucleari.

LAMPI CHIMICI

"Chissà che in futuro quest'aria pura non possa diventare un lusso alla moda? Finora solo due topi e io stesso abbiamo avuto il privilegio di respirarla"
Joseph Priestley

48 Priestley

UN VERO AMICO!

PARLA LAVOISIER

Il mio lampo di genio lo devo a Joseph Priestley. È un pastore presbiteriano, chimico, filosofo, progressista e fautore delle libertà civili e dell'indipendenza americana. Se ne andrà in America anche lui. Le sue idee sono troppo illuminate per l'Inghilterra del suo tempo. Sapevo che era a Parigi, così l'ho invitato a casa mia. A cena mi ha raccontato una cosa straordinaria. Ha scoperto un'aria più attiva e pura dell'aria comune: espande la fiamma della candela, il legno brucia più forte e si consuma più rapidamente. I topi che respirano quest'aria sopravvivono cinque volte più a lungo. Lui stesso l'ha respirata trovandola più frizzante e piacevole dell'aria comune. Insomma ha trovato il modo di produrre un'aria prodigiosa, che auspica vendibile nei negozi di lusso...

È UN'ARIA RIVOLUZIONARIA!

VIVE LA FRANCE!

BANG! CRASH

Nel suo laboratorio il francese Antoine Lavoisier analizza l'aria scoperta da Priestley e scopre che non è un'aria affatto "nuova". È invece il componente puro più attivo dell'aria comune. Non solo. Si rende conto che la combustione non corrisponde a una perdita di sostanza, ma viceversa il materiale che brucia si combina con questa parte di aria contenuta nell'atmosfera. Scopre che la respirazione è un fenomeno simile alla combustione e che entrambe producono come scarto un altro gas: l'anidride carbonica. Dà a questo gas il nome di "ossigeno", parola che in greco antico vuol dire "acido che genera vita".

UNA REALTÀ INVISIBILE

Il fuoco lo consuma in gran quantità. Così pure i motori, gli uomini e gli animali.
Le piante lo producono e non le ringraziamo abbastanza. L'ossigeno è intorno a noi,
c'è e non si vede. Se non c'è si muore. Lo respiriamo in ogni istante insieme agli altri
componenti dell'aria. All'interno del nostro organismo, come una stufa o un caminetto,
lo bruciamo facendolo diventare un altro gas, anch'esso invisibile. È un gas straordinario,
ma nessuno prima
degli studi di Lavoisier,
ne immaginava
l'esistenza
e le proprietà.

49 Lavoisier

*Nulla si crea, niente
si distrugge, tutto si trasforma.*
Lavoisier

La scoperta dell'ossigeno consente ad Antoine di spiegare
molti altri fenomeni: il più importante è il fatto che nelle
reazioni chimiche non avviene creazione o distruzione
di materia, ma solo uno scambio di elementi. Questi
"elementi" sono diversi dai Quattro Elementi sui quali
si fondava l'alchimia. L'acqua, per cominciare, non è
un elemento ma un composto di due elementi, l'idrogeno
e l'ossigeno. Elenca una prima lista di elementi autentici,
come oro, ferro, idrogeno, ossigeno, mercurio, zolfo e tanti
altri, sostanze semplici che formano in natura un'infinità
di composti e miscugli, liquidi, solidi
o gassosi. Sua moglie lo aiuta
disegnando gli strumenti e le prove
di laboratorio. Perderà la vita e la
testa (sulla ghigliottina) negli anni
più bui della Rivoluzione Francese.
Non sempre i grandi lampi
di genio hanno il riconoscimento
che meritano.

50 Dalton

PAROLA DI JOHN DALTON

Sono figlio di un tessitore e la mia famiglia è quacchera, gente sobria e timorosa di Dio. Ho studiato a Manchester e ho insegnato in una scuola elementare. Tutti ricordano il mio handicap, che prende il nome da me: soffro di daltonismo. Non distinguo i colori: se indosso un calzino rosso, lo vedo grigio. Ma non tutti mi ricordano per il mio lampo di genio: ho trovato il modo di pesare gli atomi.

0,0000000000000000000000000... g !

atomo

In una reazione chimica gli atomi rimangono sempre gli stessi, sia in numero che in massa...
John Dalton

Facendo una serie di analisi e proporzioni sono risalito al peso di tutti gli elementi conosciuti nel mio tempo. Certo non potevo sapere che gli atomi sono molto diversi dalle palle di biliardo che immaginavo io!

AGLI ATOMI PIACE LA COMPAGNIA

Spesso a Dalton non tornavano i conti. Il motivo lo scopre un chimico torinese, di nome Amedeo Avogadro, figlio di un magistrato, dottore in legge lui stesso, ma appassionato di scienze. Agli atomi, dice Avogadro, non piace star soli: formano degli aggregati che si chiamano "molecole".

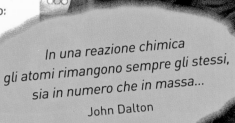

atomi di idrogeno

NOI SIAMO L'ACQUA!

atomo di ossigeno

NOI SIAMO UNA MOLECOLA D'OSSIGENO!

atomi di ossigeno

Ho trovato un numero che consente di calcolare quanti atomi e molecole sono contenuti in una sostanza.
Amedeo Avogadro

51 Mendeleev

PAROLA DI DIMITRIJ MENDELEEV

Sono nato in Siberia, in una cittadina circondata da foreste primordiali. Da noi i fiumi gelano d'inverno e nei boschi s'incontrano gli alci. Mio padre insegnava e mia madre ha gestito per anni una piccola vetreria. Poi ho studiato chimica, una materia di frontiera nel mio tempo. Ho insegnato a San Pietroburgo e anche in Germania. Qui, durante un convegno di chimica ho avuto un lampo di genio. Ho messo uno accanto all'altro tutti gli elementi conosciuti, secondo il loro peso atomico. Così sono cominciate le sorprese.

Gli elementi manifestano una netta periodicità delle proprietà. In pratica mettendo in una tabella i vari elementi, dopo un numero fisso di caselle si trova un elemento con caratteristiche simili: un metallo, un metalloide e così via. Quello che mi lasciava perplesso è che alcune caselle rimanevano libere. Mi convinsi che erano elementi ancora da scoprire, dei quali però si potevano già supporre peso e proprietà.

Ho inventato una tabella che consente di vedere gli elementi ancora da scoprire...
Dimitrij Mendeleev

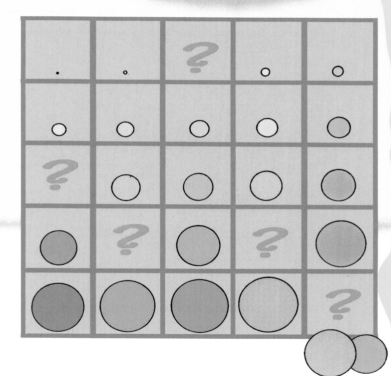

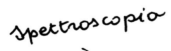

GLI ATOMI MANCANTI

Due colleghi di Mendeleev, Kirchhoff e Bunsen, si accorgono che alla fiamma ogni elemento emette una luce particolare. Con un prisma questa luce si può scomporre rivelando un suo spettro caratteristico che non cambia mai. Così si può scoprire quali elementi contiene una sostanza e individuare elementi sconosciuti. Subito ne scoprono due: il cesio e il rubidio, che avevano già una casella "prenotata" da Mendeleev.

(52) Liebig

PAROLA DI LIEBIG

Sono nato a Darmstadt in Germania nel 1803. Sono figlio di un negoziante di colori. A tredici anni ho sofferto la fame durante una grande carestia che ha devastato l'Europa. Mi sono appassionato di chimica aiutando mio padre e sono stato espulso dal ginnasio perché ho fatto esplodere un ordigno fatto in casa, frutto di un esperimento che volevo mostrare ai miei compagni.

COSÌ VI NUTRITE DI MINERALI!

Sono stato fortunato: ho conosciuto il naturalista e viaggiatore Von Humboldt e grazie alla sua amicizia ho lavorato come ragazzo di bottega presso il grande chimico Gay-Lussac. Mi sono occupato del mondo vegetale e ho scoperto che le piante hanno assolutamente bisogno di fosforo, azoto e di altri minerali, alcuni in piccolissime quantità.

YES!

...MA BEVIAMO MOLTA ACQUA E CI PIACE L'HUMUS, GRAZIE!

Se questi elementi non sono presenti nel terreno le piante non crescono e non danno frutti. Sono convinto che l'infertilità dei terreni e addirittura la caduta di molti antichi regni sia dovuta a ciò. Così ho inventato dei concimi che li contengono. Ci sarà cibo a tutte le latitudini, grazie alla mia scoperta.

Alla Natura bisogna sempre restituire quello che le si è tolto.
Justus von Liebig

L'INVENZIONE DEL DADO

Von Liebig scopre che anche gli esseri umani hanno bisogno di alcune sostanze, come le proteine animali. Così inventa l'estratto di carne di manzo (che diventerà poi "dado da brodo") conservabile e di costo contenuto. Nel suo tempo la fame colpisce ancora vasti strati della popolazione e la sua invenzione intendeva consentire anche ai più poveri di consumare giornalmente la quantità necessaria di proteine.

VERO ESTRATTO DI CARNE LIEBIG.

Giuoco della palla.

Liebig fonda anche un'azienda alimentare che avrà fortuna internazionale e ha in'idea di marketing che diventerà storica: le figurine collezionabili Liebig.

53 Il fattore limoni

La vitamina C protegge da varie malattie, rinforza i vasi sanguigni, la pelle, i muscoli e le ossa. In passato non si sapevano le sue benefiche proprietà ma si conoscevano gli effetti terribili della sua carenza: lo scorbuto. Ne erano vittime soprattutto i marinai durante i lunghi viaggi in mare. Ne fu colpito anche l'equipaggio di Magellano durante la lunga traversata dell'oceano Pacifico.

IL LAMPO DI JAMES

Chi ha il lampo di genio e trova il modo di sconfiggere lo scorbuto è un medico di bordo della marina inglese, James Lind. Quando la sua nave è colpita dalla malattia, Lind sceglie 12 marinai dell'equipaggio e li divide in gruppi di due. A ogni gruppo aggiunge qualcosa alla consueta razione di bordo: sidro, acido solforico, aceto, spezie e erbe aromatiche, acqua di mare e limoni. James non lo sa, ma i limoni contengono vitamina C.

sidro   acido solforico   aceto   spezie   acqua di mare

I primi gruppi peggiorano o muoiono. Solo i due marinai che mangiano i limoni guariscono rapidamente! Poi Lind scopre che anche le arance funzionano egregiamente. Dal 1795 tutte le navi della flotta inglese verranno fornite di arance e soprattutto di barili di limoni. Un secolo dopo Casimir Funk, polacco naturalizzato statunitense, studierà questo e altri fenomeni simili dovuti a carenze di sostanze particolari. Chiamerà queste sostanze "vitamine". Caratteristica delle vitamine è che ne basta una piccola quantità per star bene ed essere protetti dalle più varie malattie. Detto tra noi, ne assumiamo abbastanza se viviamo in modo sano e mangiamo molta frutta e verdura.

limoni

LAMPI ELETTRICI

L'elettricità si manifesta in molti modi. I fulmini
sono quello più potente, ma sono pericolosi e mortali.
Chi ha il lampo di genio e riesce a domarli
è un giovane americano, un vero eroe,
soprattutto nel suo paese.

> SONO IN MOLTI A CONOSCERE LA MIA FACCIA!

54 Franklin

Benjamin Franklin è tuttora popolare e non solo per i suoi lampi di genio. È uno dei padri
dell'Indipendenza Americana. È nato Boston, quando la città era una delle tante colonie
del re d'Inghilterra. Ha aiutato il suo paese a diventare indipendente. Qualcuno ha persino
scritto che ha inventato gli Stati Uniti d'America. Comunque non meravigliatevi
se da quelle parti è così amato: è su tutte le banconote da cento dollari.

INVENTORE PER VOCAZIONE

Mio padre era un mercante inglese.
Ho lavorato come tipografo per
il mio fratellastro, poi ho cominciato
a viaggiare, guadagnandomi da vivere
stampando volantini, carte da visita
e fogli di notizie, ovvero i giornali
del mio tempo.
Giovanissimo, ho
inventato un modello
di stufa che evita
le esalazioni pericolose
e che sarà poi copiata in mezzo
mondo. Quando l'ho inventata,
in Pennsylvania c'erano ancora molti
nativi e i soldati di re Giorgio.

> VOILÀ!

> NEW TECHNOLOGY!

> ATTIRANO SOPRATTUTTO I FULMINI!

CRACK! FZZZ! CRACK! CRACK! CRACK!

La mia invenzione
più straordinaria nasce
da una scoperta sconcertante.
Le punte hanno il potere di attirare
e disperdere elettricità.

IL POTERE DELLE PUNTE

Nel mio tempo, ogni anno migliaia di case erano colpite da fulmini e non c'era nessun rimedio. Bruciavano campanili, abitazioni e intere città. Così ho deciso di andare a caccia di fulmini per capire di che cosa sono fatti.

Ho attaccato una chiave al filo del mio aquilone e in effetti quando un fulmine è scoccato lassù una piccola scintilla è scoccata anche a terra... Ho dimostrato che si trattava di elettricità. In realtà m'è andata bene. Stavo attirando un fulmine su di me. C'è chi ha rifatto i miei esperimenti ed è finito carbonizzato! Però da questi tentativi è nata la mia invenzione: una punta collegata a terra da un filo di metallo attira il fulmine, e ne conduce l'energia al suolo, dove si disperde senza alcun danno. Insomma ho inventato il parafulmine.

Benjamin Franklin per primo è riuscito a imbrigliare il "fuoco elettrico". Il frutto del suo lampo di genio protegge tuttora la vita e i beni di milioni di persone. È un'innovazione semplice che ebbe subito un successo planetario, nonostante l'ironia di questi disegni della sua epoca che prendono in giro il troppo entusiasmo per questa novità.

È un risultato eccezionale se si pensa che la maggior parte dei suoi colleghi scienziati usava l'elettricità statica solo per fare esperimenti da salotto o per spiegare fenomeni addirittura paranormali. C'era infatti chi era convinto che l'elettricità fosse un fluido vitale capace addirittura di dar vita alla materia morta.

Fig. 72. PARAFULMINE PORTATILE.

55 Volta

PAROLA DI ALESSANDRO

La mia grande idea è frutto di una strana ricerca. Ero affascinato dagli esperimenti di Benjamin Franklin ma ancora di più da quelli del mio conterraneo Luigi Galvani. Erano esperimenti inquietanti. Galvani faceva guizzare come se fossero vive rane morte da un pezzo. Per rivitalizzare i loro tessuti

usava l'elettricità prodotta da macchine elettrostatiche e persino quella dei fulmini attirati sulla terrazza di casa sua. Il mio collega Galvani mirava a dimostrare che l'elettricità è una specie di fluido vitale capace di dare la vita e la morte. In realtà, nelle cellule diversi fenomeni sono elettrici ma solo a livelli microscopici e infinitesimali, non certo paragonabili a fulmini e saette!

ANCH'IO SONO FINITO SULLE BANCONOTE!

L'esperimento più strano del signor Galvani riguardava una rana morta e scorticata che si agitava quand'era toccata dagli estremi di un archetto metallico. La creatura era come... "galvanizzata"! Io ho ripetuto lo straordinario esperimento con alcune varianti e ho ottenuto due risultati inaspettati che hanno cambiato il corso delle mie ricerche.

RISULTATI

Uno: se l'archetto è di due metalli diversi, la povera rana (morta) guizza di più.
Due: se si toglie di mezzo la rana… tra i due estremi si produce ugualmente elettricità.
Allora se la rana non c'entra, questo fluido nasce dal contatto dei due metalli!

Luigi Galvani aveva (in parte) torto. Però Volta gli sarà riconoscente e chiamerà "galvanica" la nuova forma di elettricità scoperta.

Al tempo di Volta i mezzi per produrre elettricità sono modesti e poco utili. Le macchine elettriche riescono solo a far scoccare qualche scintilla durante spettacoli scientifici da salotto, molto intriganti per la verità. Alessandro invece imbocca una strada del tutto nuova che lo porta a realizzare il primo congegno in grado di produrre corrente elettrica. Il lampo di genio nasce dall'osservazione di un'altra creatura vivente: la torpedine.

La torpedine è un pesce piatto che vive sui fondali marini e si confonde con la sabbia. Possiede un organo elettrico capace di dare la scossa alle prede e intontire gli avversari. Il suo organo elettrico sembra fatto di dischetti di tessuto diverso. Così la torpedine mi ha ispirato un congegno simile. Ho creato una specie di sandwich impilando tanti dischetti di metallo intervallati da altri di panno inumidito. Il risultato è stupefacente: ho costruito un organo artificiale che produce elettricità. Per la sua forma lo chiameranno tutti "pila"!

LA PILA

Produce elettricità senza macchine, senza sfregamenti e senza spellare poveri animali. Alessandro Volta presenterà la sua "pila" di dischetti di panno e metallo addirittura a Napoleone, futuro imperatore dei francesi. In realtà non immagina ancora a cosa servirà. Ma il successo della sua "pila" sarà straordinario e inarrestabile, a differenza di Napoleone, che sarà fermato a Waterloo.

56 L'elettrolisi

LAMPI COLLATERALI

William Nicholson e Anthony Carlisle sono entusiasti dell'invenzione di Volta e la usano per fare i più svariati esperimenti.
Il più semplice dà un risultato strepitoso: gli elettrodi della pila, immersi in acqua, la scindono nei due elementi di cui è composta.
Hanno scoperto l'elettrolisi! Ma è solo

l'inizio. Tutti i composti disciolti in acqua si possono scomporre grazie all'elettricità! Il sale da cucina si può scomporre in sodio e cloro, e così via. Da questo momento per la chimica si aprono infinite possibilità.

57 Il telegrafo elettrico

Le migliori idee crescono sulle idee degli altri.

A Barcellona Francisco Salva sfrutta le bollicine prodotte dall'elettrolisi per comunicare. Per la prima volta un testo viene trasmesso per via elettrica. Ma il sistema prevede un filo per ogni lettera ed è poco pratico.

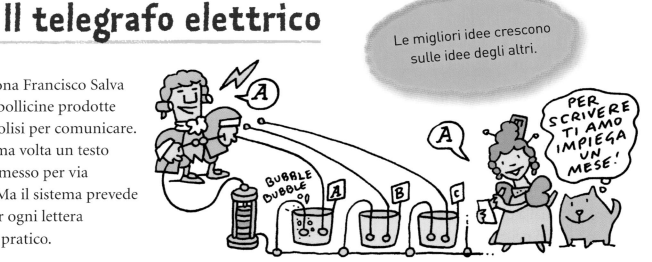

Ci vorrà un altro lampo di genio – quello dell'americano Samuel Morse – per trasformare la sua buona idea in uno straordinario mezzo di comunicazione.

58 La luce elettrica

Nel 1810 l'inglese Humphry Davy inventa l'illuminazione elettrica. In pratica collega i poli della pila a due elettrodi di carbone che ravvicinati formano un arco elettrico, una specie di lampo artificiale fortissimo, continuo e abbagliante. Non è una lampada molto pratica: non solo la luce è troppo forte ma consuma tutta la grafite in breve tempo.
Inoltre rischia di scottare chi si avvicina troppo.
Per molto tempo ancora l'illuminazione continuerà a essere affidata alle lampade a olio di balena, alle candele e nel migliore dei casi ai lumi a gas.

Dopo Davy molti cercheranno di costruire lampade efficienti, creando il vuoto intorno alla scintilla e usando filamenti di vario genere. Ci riuscirà molti anni dopo l'americano Edison. La sua lampadina diventerà così popolare che dopo di lui tutti i lampi di genio degli inventori saranno raffigurati con una lampadina che s'accende.

Voglio creare una luce elettrica così economica che solo i ricchi useranno ancora le candele.
Thomas Alva Edison

59 Dinamo e motori elettrici

Nel 1820 il danese Hans Christian Oersted scopre che la corrente prodotta dalla pila altera il campo magnetico terrestre, ovvero sposta l'ago della bussola dalla sua corretta direzione… In breve scopre che le correnti elettriche sono in grado di creare campi magnetici e che a loro volta i magneti possono creare correnti elettriche indotte.

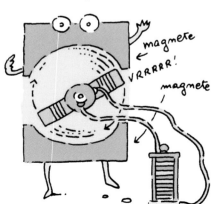

Partendo da questa intuizione Michael Faraday costruisce la prima dinamo, ovvero un magnete che muovendosi crea corrente elettrica.
Anni dopo altri inventori sfrutteranno al contrario lo stesso principio: costruiranno dispositivi che alimentati da elettricità producono movimento e lavoro utile, i motori elettrici.

LAMPI NATURALI

Le scimmie ci somigliano. Chi ha il lampo di genio di riconoscere un certo grado di parentela con noi è un botanico svedese. Ha deciso di mettere un po' d'ordine tra gli esseri viventi.

60 Linneo

PAROLA DI CARL

Sono nato a Räshult, un paesino del sud della Svezia nel maggio 1707. Il mio re, Carlo XII, era occupato in una serie di guerre e scorrerie in tutto il Nord Europa. Quanto a me ero e sono sicuramente un pacifista. Mio padre era un pastore luterano

appassionato di botanica. È stato lui a insegnarmi a collezionare piante e fiori. Poi ho studiato medicina all'Università e qui mi sono accorto che le stesse piante medicinali erano chiamate con tanti nomi diversi e c'era una gran confusione. Ho notato che ogni specie di piante è riconoscibile per certe caratteristiche dei suoi fiori e raggruppabile con altre con gli stessi particolari. A loro volta questi "insiemi di specie" sono raggruppabili in gruppi più grandi e così via. Ho dato così a ogni pianta un nome proprio (la specie) e un cognome (il genere), poi ho raggruppato i generi che si assomigliano in una stessa

Classi, Ordini, Generi, Specie, Varietà. È bene che chi vuole conoscere sappia i nomi, definiti da differenze.
Carl Linneo

"famiglia", le famiglie simili in "ordini" e gli ordini in "classi".

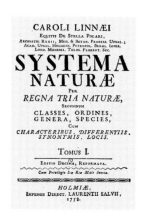

Così Linneo ha classificato con pazienza tutte le piante che incontrava. Ha dato loro nomi latini, che ora sono usati dai botanici di tutto il mondo, anche se nelle varie lingue ogni pianta continua a essere chiamata con il suo nome più popolare.

UN'IDEA SCANDALOSA

Il tranquillo lavoro di botanico crea un certo imbarazzo quando Linneo decide di applicare il suo "sistema" al regno animale. Qui i fiori non ci sono. Ci sono molte altre caratteristiche, che sono di volta in volta tipiche dei mammiferi, degli uccelli, dei pesci e così via. All'interno di questi gruppi Linneo identifica altre caratteristiche in comune. Così mette nello stesso genere e nella stessa famiglia creature divise da milioni di anni di storia naturale, da oceani e da continenti.

Per l'*Homo sapiens* Linneo ha un lampo di genio: molto prima della teoria dell'evoluzione, molto prima di Darwin, lo classifica tra i "quadrumani", ovvero tra le scimmie. La parentela per lui è già evidente: a guardar bene abbiamo quattro… mani, come i nostri cugini scimpanzé.

Darwin

PAROLA DI CHARLES

La mia grande idea? Ho scoperto come si crea una nuova specie vivente. Ho spiegato come sono nati i rettili, gli uccelli, i mammiferi e persino l'uomo grazie alla teoria dell'evoluzione per selezione naturale. Non fu certo un lampo improvviso. Fu invece frutto di anni di studio e di un lungo viaggio durante il quale ho avuto la fortuna di vedere paesaggi straordinari e animali sorprendenti. Questa grande avventura è cominciata salendo a bordo del Beagle, un brigantino di tre alberi comandato dal capitano Fitzroy.

Il compito della missione era disegnare mappe e tracciare nuove rotte per la Marina di Sua Maestà Britannica. Ma durante il viaggio ho esplorato a piedi e a cavallo selvagge regioni del Brasile, della Patagonia, del Cile e dell'Australia. Man mano che avanzavo dall'equatore ai mari australi annotavo tutti i cambiamenti nella geografia, nel clima, nella vegetazione e nelle forme degli animali che incontravo.

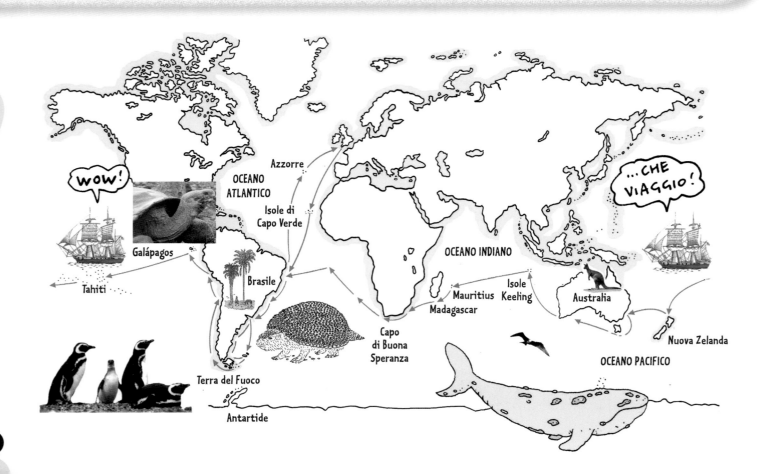

Con i miei occhi ho visto – concedetemi questo verbo – come funziona l'evoluzione: agisce sulla varietà di ogni specie favorendo i più adatti a sopravvivere. Così è accaduto alle Galápagos, dove isolamento e condizioni ambientali durissime hanno creato specie particolari, che vivono soltanto in queste isole. Ho trovato fossili di creature antichissime e ne ho dedotto che da queste specie discendono gli animali di oggi. Ho disegnato il primo albero della vita sulla Terra. Assomigliava a un cespuglio o a un corallo. Le specie viventi sono gli apici, mentre quelle dalle quali discendono sono i rami ormai secchi. Tutto questo l'avevo intuito a bordo del Beagle, ma ho aspettato vent'anni prima di divulgarlo come una vera e propria teoria. L'ho fatto pubblicando un libro che andò subito esaurito, *L'origine delle specie*, poi con un altro sull'origine dell'uomo. Ebbero un successo strepitoso. Ma qualcuno non mi ha mai perdonato: trovava seccante che la nostra specie sia cugina degli scimpanzé.

> Ho goduto di paesaggi straordinari, ma soprattutto ho imparato a percepire i movimenti della crosta terrestre e gli effetti dei cambiamenti ambientali sugli esseri viventi.
> Charles Darwin

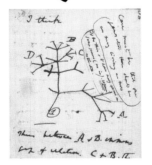

NOI ORA MANGIAMO ALGHE E NUOTIAMO SOTT'ACQUA!

HOMO SAPIENS
SCIMMIE
LEMURI
PRIMATI

STESSA IDEA, CON MENO FORTUNA

Darwin tenne nel cassetto la sua idea fino a quando non ricevette una lettera da un certo Alfred Russel Wallace, un naturalista inglese che aveva soggiornato in Amazzonia e nel Sudest asiatico. Wallace si finanziava catturando esemplari di insetti esotici che poi vendeva ai collezionisti. Aveva cominciato giovanissimo e nell'arcipelago Indo-malese aveva raggiunto le stesse conclusioni di Darwin. Quando Darwin lesse la lettera, vi ritrovò le sue stesse idee. I suoi amici lo spinsero a rompere gli indugi e a presentare con Wallace una memoria in comune alla *Linnean Society*. Era il 1 luglio 1858. La teoria dell'evoluzione è quindi di Wallace e Darwin. Anzi, Wallace aveva scoperto anche le correlazioni che legano geografia ed evoluzione, ma il suo nome è abbastanza dimenticato. Non basta avere una buona idea… occorre anche coltivare le amicizie giuste per farla sbocciare.

Il famoso albero disegnato da Darwin ↓

ALFRED R. WALLACE

62 Wegener

CONTINENTI CHE VIAGGIANO

Darwin aveva scoperto il meccanismo dell'evoluzione, nessuno
però era in grado di spiegare come e perché gli stessi fossili
di antichissime creature – i dinosauri, per esempio – si ritrovano in
continenti divisi da migliaia di chilometri di profondissimo oceano,
mentre negli strati superiori si trovano creature ben diverse.

Qualcuno aveva proposto l'idea di "ponti
di terra" che avevano unito in passato i vari
continenti, ma non era un'ipotesi convincente.

Se guardate una mappa
del mondo l'idea forse
viene anche a voi.
Alfred Wegener

La profondità degli oceani e le conchiglie che si trovano sulle cime delle Alpi e delle Ande
facevano pensare a qualcosa di più complicato e sconvolgente. Anche la distribuzione
degli animali era ben strana: i mammiferi marsupiali
per esempio vivono quasi solo in Australia e Sud
America, come se l'evoluzione in questi continenti
avesse preso un'altra strada. Chi spiega tutte
queste stranezze è un giovane metereologo
tedesco. La sua idea è così straordinaria che
non verrà presa sul serio per molti anni,
persino dalla sua stessa famiglia.

Oggi si conosce anche
la velocità di allargamento
dell'oceano Atlantico:
circa 2 cm all'anno.

PAROLA DI ALFRED

Il padre di mia moglie, ovvero mio suocero, è piuttosto seccato: è un serio climatologo stimato da tutta la comunità scientifica. Dice che sono pazzo a pubblicare la mia teoria sullo spostamento dei continenti. Eppure se guardate anche voi le mappe del mondo tutto risulta più chiaro. Il profilo dell'Africa si incastra perfettamente con quello dell'America del Sud. Questi due continenti un tempo erano una cosa sola, una sola terra emersa. Anzi i continenti di oggi facevano parte di un unico grande continente al quale ho dato il nome di Pangea, che vuol dire circa "tutta la Terra". Questo continente si è poi frantumato in vari pezzi, ora separati dagli oceani: le Americhe, l'Eurasia, l'Antartide, l'Australia...

Sono immense regioni ora situate ben lontano dalla loro posizione di 200 milioni di anni fa. L'Antartide – ora al polo Sud – era coperta di foreste e abitata da animali tropicali. L'Australia si è staccata dalle altre terre emerse 45 milioni di anni fa ed è rimasta isolata per tutto questo tempo. I mammiferi che l'abitavano si sono così evoluti in modo diverso da tutto il resto del pianeta: sono quasi tutti marsupiali.

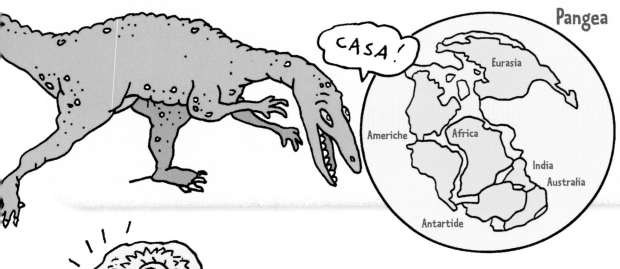

CI ROVINERAI!

CASA!

Pangea

Eurasia

Americhe

Africa

India

Australia

Antartide

Wegener non ha prove a favore della sua teoria. Ma le cerca dappertutto. Parte per un'esplorazione in Groenlandia nel corso del Secondo Anno polare. Decide di festeggiare il suo cinquantesimo compleanno tra i ghiacci. Esce in missione, ma non farà più ritorno alla base. Il suo corpo congelato verrà trovato molti anni dopo. La sua teoria rimarrà dimenticata per vari decenni.

Solo nel 1960 un geologo americano, Harry Hess, propone un meccanismo che spiega cosa accade ai continenti: galleggiano sul magma sottostante. Si allontanano e si scontrano innalzando montagne, inghiottendo o allargando mari e oceani. È la "teoria delle placche", grandi zattere in cui è divisa la crosta terrestre. Anche in questo momento queste placche si muovono, alzando le Ande e riducendo la larghezza del Mar Mediterraneo di 10 cm ogni anno.

CIAO A TUTTI!

LAMPI DI VITA

Il batterio è l'unica creatura che ha lo straordinario dono dell'immortalità. Si è diviso miliardi di volte generando un'infinità di gemelli. Ma è sempre lui, lo stesso microbo di milioni di anni fa.

63 Pasteur

DALLA CARNE PUTRIDA NASCONO LE MOSCHE...

BLEAH!

La generazione spontanea non esiste, la vita nasce solo dalla vita.
Louis Pasteur

PAROLA DI LOUIS

È una vecchia storia. Plinio il Vecchio raccontava che dalla carcassa di un bue morto poteva nascere un intero sciame di api. C'è stato

L'ACQUA FERMA PRODUCE VERMI!

chi metteva il formaggio nei cassetti per dimostrare come dal nulla si creavano topi, vermi e altre creature! Una dopo l'altra queste sciocchezze si sono dimostrate tali. Se si impedisce agli insetti di raggiungere la carne e deporre le uova, non

nasce nulla. Se i vasi che contengono la carne sono fatti bollire, ugualmente non nasce nulla. Ma rimaneva ancora un'obiezione. Qualcuno sosteneva che facendo bollire i vasi che contenevano le infusioni veniva ucciso anche *l'aer vitalis*... ovvero un fluido

È L'AER VITALIS CHE INFONDE LA VITA!

PANZANE!

FLASH!

misterioso presente nell'aria e capace di dare la vita anche ai morti! Ma è bastato poco per far cadere anche quest'ultima sciocchezza: un piccolo ma storico lampo di genio!

AIUTO!

AAARSH!

BOL BOL

Pasteur usa dei comuni palloni di vetro. Li riempie di infusi che poi fa bollire, uccidendo microbi e spore che possono contenere. Poi sul fuoco curva e restringe il collo in modo da far entrare l'aria liberamente, ma impedendo ai microbi di entrare e risalire. Non nasce nulla! Anche quando entra l'aria non nasce spontaneamente un bel niente! Pasteur dimostra così che non esiste alcuna magica "forza vitale". L'aria contiene azoto, ossigeno e altri gas. Nell'aria che ci circonda è sospesa solo qualche spora di microbo che, quando trova terreno adatto, prolifera.

Chi sostiene ancora la possibilità della generazione spontanea vada a nascondersi.

L'aria entra

i microbi si fermano qui

ANDIAMO A INFETTARE QUALCOSA D'ALTRO!

64 I microbi

Poi Pasteur ha un lampo di genio ancora più straordinario. Mette sotto le lenti del suo microscopio alcune gocce di mosto e scopre cosa avviene durante la fermentazione del vino e della birra: i veri responsabile della trasformazione degli zuccheri in alcol sono una famiglia di microbi (i lieviti), ovvero delle creature vive!

CIAO, LOUIS!

EH!?

BUONI!

Era solo l'inizio. Ho scoperto che di microscopiche creature è pieno il mondo. Molte sono amiche, come quelle che producono formaggi e yogurt. Milioni di altre fanno cose utili all'ambiente e alla vita. Alcune – poche per fortuna – diventano troppo invadenti e causano antipatiche malattie. Sono le creature più antiche della Terra e sopravvivranno anche a noi. Parola di Louis Pasteur.

CATTIVI

IH!

65 Jenner

Guardavo le mungitrici della regione dell'Inghilterra dove sono medico condotto, il Gloucestershire. Hanno tutte una pelle bellissima, a differenza delle ragazze di Londra che sono spesso deturpate dalle pustole del vaiolo.

Il vaiolo è una matattia infettiva e mortale. Anch'io ne sono stato colpito da ragazzino. Chi sopravvive rimane segnato per tutta la vita nel volto e nel corpo. Qui ho scoperto che le mungitrici sono immuni perché da piccole hanno contratto una forma più lieve, che è stata loro trasmessa dalle mucche.

Allora ho provato a inoculare questa forma lieve a un ragazzino. Il suo corpo ha creato delle difese e quando gli ho inoculato la forma terribile del vaiolo umano è risultato immune! Il suo corpo aveva già predisposto le difese.

Pasteur qualche decennio dopo estenderà questa procedura ad altre malattie infettive, ma si ricorderà delle ragazze mungitrici e delle loro mucche (vacche).

VIRUS ATTENUATO

SI CHIAMERÀ VACCINAZIONE!

MUUU!

PASTEUR

"Grazie a sempre più estese vaccinazioni il vaiolo è stato dichiarato malattia eradicata (estinta) dall'Organizzazione Mondiale della Sanità".

66 L'anestesia

Prima dell'invenzione dell'anestesia i chirurghi tappavano la bocca dei pazienti per non sentirne le urla di dolore. Nel 1799 Humphry Davy scopre un gas con strane proprietà: se si respira non fa sentire alcun dolore. Ma ha un effetto collaterale curioso: fa ridere a crepapelle. È il protossido d'azoto. Un dentista americano, Horace Wells, lo usa per estrarre i denti. Ma la sua idea non viene presa sul serio dai chirurghi. Avrà più successo l'ostetrico inglese Sir James Simpson. Userà il cloroformio per ridurre il dolori del parto della Regina Vittoria. Dopo il lieto evento, l'anestesia si diffonderà in tutti gli ospedali del mondo, e non solo per le regine.

PROTOSSIDO?

SÌ!

UAH! UAH! UAH!

BIG IDEA!

67 Lister

PAROLA DI JOSEPH

Era terribile. I chirurghi non operavano con il camice dei vostri tempi, ma con i vestiti di tutti i giorni, talvolta in bombetta e panciotto, che proteggevano con un grembiule da macellaio. Gran parte delle operazioni, anche quelle con esito favorevole, provocavano la morte del paziente in quanto le ferite erano infettate da batteri che ne provocavano la cancrena. La strage s'era intensificata da quando era stata introdotta l'anestesia.

Finalmente il paziente poteva essere operato senza dolore e noi chirurghi potevamo tagliare in silenzio, senza dover subire lo strazio delle loro urla. Ma in silenzio operavano anche degli assassini: invisibili. Ne bastano pochi a infettare una ferita che guarirebbe senza problemi. Così inventai un semplice strumento con il quale spruzzavo di acido fenico il campo operatorio. I miei pazienti sopravvivevano, quelli dei miei colleghi invece morivano. La colpa era delle mani sporche, degli strumenti infetti, delle bende piene di microbi. È stata dura ma alla fine tutti si sono convinti: l'asepsi, così si chiama la sterilizzazione degli strumenti e degli ambienti, funziona! Ora chi entra in un ospedale è più sicuro. Grazie a me e al mio spruzzatore.

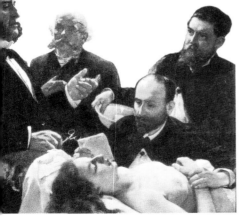

68 Semmelweis

Certe volte chi ha un lampo di genio viene preso per matto. È quello che accade a Ignaz Semmelweis. Prima della scoperta dei microbi, Semmelweis si rende conto che le partorienti del suo ospedale muoiono in gran numero a causa di una terribile malattia, la "febbre puerperale". Ne muoiono molte meno in altri ospedali che, guarda caso, non sono frequentati da studenti di medicina. Per esclusione, elimina fattori come l'inquinamento o il cibo pessimo, e infine giunge a un'ipotesi semplice ma straordinaria: la febbre puerperale viene trasferita da un corpo all'altro a seguito del contatto che medici e studenti hanno con le donne decedute (su cui praticavano l'autopsia) e poi con le partorienti che visitano in corsia. Basta lavarsi le mani per sconfiggere la febbre mortale. Ma pochi dei suoi colleghi lo prendono sul serio, anzi il povero Semmelweis, licenziato, cade in una irreversibile depressione. Morirà in manicomio per le percosse subite da parte degli inservienti, ai quali ripete ossessivamente di lavarsi le mani.

69 Koch

PAROLA DI ROBERT

Detto tra noi sui microbi ne so forse più di Pasteur. Io li chiamo batteri e ho sconfitto quello della tubercolosi, che nel mio tempo mieteva milioni di vittime. Per questo mi è stato assegnato uno dei primi Premi Nobel per la medicina. Me lo sono meritato. Ma il mio lampo di genio più notevole è quello che mi ha permesso di distinguere i microbi uno dall'altro: li coloro con sostanze sintetiche.

Con i coloranti anche gli invisibili diventano visibili! Koch trova il modo conservare e far riprodurre i suoi batteri. Li alleva su gelatina di agar agar. È la stessa che serve per creare la gelatina dei paté o di certi dolci. L'idea gli è data dalla moglie di un suo assistente, la signora Fannie Hesse, che fa ottime torte ricoperte di gelatina.

70 Doctor Phantasius

PAROLA DI PAUL EHRLICH

I colleghi mi chiamavano Phantasius perché avevo le mani di tutti i colori. Niente di strano: lavoravo in una industria chimica che produce coloranti e alcuni erano proprio indelebili, accidenti! Comunque mi occupavo di microbi e ho avuto il lampo di genio di cercare tra le tante sostanze di scarto della produzione se ce n'era una che poteva ucciderli senza far del male all'ammalato. Così ho provato a somministrarli agli ammalati di sifilide, una malattia terribile che si trasmette per via sessuale e che non aveva nessun rimedio.

Dopo aver provato con più di seicento sostanze e migliaia di ammalati, Ehrlich trova la sostanza vincente. La chiama "composto 606"! Per questa scoperta riceverà il Premio Nobel. Dopo di lui altri fanno ricerche simili e trovano altre sostanze utili, come i sulfamidici.

71 Fleming

LA FORTUNA DI ALEXANDER

Si può credere che certe cose avvengano solo per caso e per fortuna, ma se Alexander Fleming non avesse avuto anni di ricerca sul campo, forse non avrebbe scoperto un bel nulla. Invece…

PRIMO LAMPO

Uno starnuto mi chiarì molte cose e mi fece scoprire una straordinaria sostanza contenuta nella nostra saliva: uccide i microbi nemici e ci difende da invasioni "aliene". È il lisozima, sostanza contenuta appunto nella saliva e nel muco umano. Distrugge le pareti della cellula batterica e ci difende dai microbi che altrimenti ci invaderebbero entrando dalla bocca e dal naso.

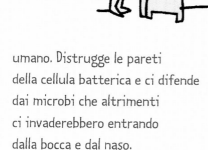

SECONDO LAMPO

Poi grazie a uno stupido incidente accaduto a un mio inserviente ho scoperto una famiglia di farmaci che ha salvato la vita a milioni di persone.

Una delle "capsule Petri" (scatolette di vetro piene di gelatina dove sono allevate e tenute sotto osservazione le colonie di microbi) era caduta e s'era aperta. L'inserviente non aveva detto nulla, ma nella capsula era entrata la spora di un fungo, che aveva dato luogo a una muffa del genere *Penicillium*. Intorno tutti gli altri microbi erano morti! Fleming isolò la sostanza prodotta dal fungo e ottenne… la penicillina! Non fu facile trovare muffe in grado di produrre penicillina in quantità industriali. Ma allo scoppio della Seconda Guerra Mondiale diventò una priorità assoluta. La muffa vincente venne trovata su un melone marcio comprato al supermercato dalla biologa americana Mary Hunt.

IDEE FULMINANTI

La notte di San Silvestro del 1879 Edison apre la porta della sua casa-laboratorio a Menlo Park... Non sarà un Capodanno qualsiasi, ma l'inizio di una nuova era...

ENTRATE, GENTE!

VENITE A VEDERE IL FUTURO!

72 Edison

PAROLA DI AL

Fu una notte straordinaria, forse la più importante della mia vita. Ho avuto molte soddisfazioni ma quella notte fu la più felice. Ho dato inizio al futuro. Non solo avevo inventato il tipo di lampadina che sarà usata fino ai vostri giorni, ma anche l'attacco per avvitarla, gli interruttori e tutto quello che occorre per distribuire energia elettrica nelle case e nelle città. Pensate che sono nato in una piccolissima città dell'Ohio, prima della Guerra di Secessione americana, quando le carovane dei pionieri erano assalite dagli indiani durante la conquista del West. A quel tempo di notte la luce era ben poca. Era fornita da lampade a gas o a olio di balena. L'elettricità era solo quella dei fulmini.

Bene, la mia casa è stata la prima al mondo illuminata da lampadine. Quando decisi di accenderle tutte insieme invitai mezza New York a vederle, era la notte dell'ultimo giorno dell'anno. Vennero a frotte, a piedi, a cavallo, in treno e in carrozza. Bastò un click ad accenderle tutte insieme.

MENLO PARK

BELLO!

BRAVO!

WELCOME

Che cosa occorre per inventare? Una certa dose di immaginazione e un bel mucchio di cianfrusaglie.
Thomas Alva Edison

73 Meucci e Bell

PRONTO, BELL?!

NO, MEUCCI!

L'INVENZIONE PIÙ USATA DALL'UMANITÀ

L'11 giugno 2002 il Congresso degli Stati Uniti d'America ha proclamato come primo inventore del telefono Antonio Meucci, inventore italiano immigrato a New York nel maggio 1850. Per molti anni la paternità dell'invenzione più usata dall'umanità è stata controversa, anzi è stata attribuita ad Alexander Graham Bell, geniale inventore di origine scozzese che aveva depositato un brevetto del tutto simile ma successivo a quello – non rinnovato – di Meucci. Ambedue avevano concepito il congegno per risolvere un problema con le loro mogli. Meucci doveva comunicare con la sua, ammalata e costretta a letto al piano superiore, mentre lui lavorava in cantina. Bell cercava di comunicare meglio con la sua consorte, nata sordomuta. Comunque chi ha sfruttato al meglio l'idea e l'ha trasformata nella più colossale azienda di telecomunicazioni del mondo (la AT&T) è stato proprio Bell.

I nipotini del primo telefono sono i cellulari, portabili e senza fili. Il primo è stato immesso sul mercato nel 1983. Era grande come una valigetta e pesava quasi due chili.

MI ACCONTENTO!

Alexander Graham Bell →

74 Tesla

Magrissimo, nervoso, alto "quasi due metri", con un cespuglio di baffi neri sotto il naso. Così era Nikola Tesla a quarant'anni. Non amava farsi ritrarre e le sue immagini sono rare, ma in un disegno lo possiamo vedere con in mano due tubi luminescenti che si accendono senza fili elettrici. Tesla è stato il primo a dimostrare che si può trasmettere a distanza non solo segnali elettrici senza fili (segnali radio), ma anche energia. I suoi lampi di genio sono tantissimi: dal motore elettrico a induzione (che oggi fa muovere ogni cosa, dall'ascensore all'avviamento dell'auto) alla corrente alternata che oggi usiamo in tutto il mondo. Ma soprattutto ha scoperto un fatto che può avere conseguenze straordinarie sul futuro dell'umanità: secondo Tesla l'energia elettrica può essere propagata attraverso la Terra e anche attorno a essa in uno spazio che si estende dalla superficie del pianeta fino alla ionosfera, all'altezza di circa 80 chilometri!

75 Il lampo segreto

Nikola Testa non è solo il geniale precursore della produzione e distribuzione dell'elettricità. Forse è molto di più.

Nato a Smiljan, Croazia, nel 1856, durante un memorabile temporale notturno. Emigrato negli Stati Uniti nel 1884. Ex assistente di Edison. Collaboratore di Westinghouse. Progettista della centrale elettrica delle Cascate del Niagara. Caratteristiche particolari: troppo alto, troppo magro. Abitudini manicali (si lava continuamente le mani, sfugge la gente, evita i luoghi affollati). Vive in camere d'albergo ed è spesso senza fissa dimora. È in grado di accendere un tubo al neon senza bisogno di alcun filo elettrico. Sostiene la pericolosa idea che la Terra stessa possa fornire energia per un'arma micidiale o – nel migliore dei casi – energia elettrica gratis e per tutti. (Facsimile scheda Archivio Central Intelligence Agency)

La torre di Tesla (Wandenclyffe Tower) non fu mai messa in funzione.

SECONDO NIKOLA TESLA

Ovunque, in ogni luogo della nostra città o nel più sperduto angolo del pianeta si potrebbe inserire un ricevitore nel terreno e attingere a una fonte inesauribile di energia elettrica. Tesla più volte dimostra che questa trasmissione e ricezione di energia "senza fili" è possibile e che può avere una potenza inaudita. Ma le sue ricerche bruscamente si fermano. Alcune diventano addirittura Top-Secret.

Il mondo continuerà a produrre e a consumare energia elettrica nei modi consueti. Tesla non riceverà mai il Premio Nobel, anche se lo avrebbe meritato. Le cause legali per difendere i suoi brevetti lo riducono in povertà. L'instabilità mentale e le sue strane manie crescono con l'avanzare dell'età.

Muore solo e dimenticato in un albergo di New York il 7 Gennaio 1943, mentre America, Europa e Giappone sono impegnati nella più terribile delle guerre. Le sue carte più segrete scompaiono misteriosamente, altre bruciano in strani incendi.

Il suo più straordinario lampo di genio rimane forse tuttora sconosciuto al mondo.

 Hertz

IL LAMPO DELLA RADIO

Mi chiamo Heinrich Rudolf Hertz. Sono nato ad Amburgo, in Germania, nel 1857. La radio, la televisione, gli smartphone e tutte le vostre trasmissioni wireless (senza fili) non esisterebbero senza di me. In pratica ho costruito un semplice strumento con il quale ho prodotto dei segnali elettrici che si diffondono nell'aria. Sono onde elettromagnetiche, invisibili. Nessuno ne immaginava l'esistenza anche se sono prodotte in gran quantità dalle stelle e sono in grado di viaggiare nello spazio. Tantomeno nessuno sospettava che si potessero creare a piacere di varie dimensioni: lunghe, corte e cortissime. Per molto tempo le hanno chiamate con il mio nome: "onde herziane". Ho inventato anche uno strumento per rilevarle ma non avevo idea a cosa potessero servire, tantomeno mi interessava. Una cosa è sicura: ho avuto un lampo di genio che ha dato luogo a milioni di altri lampi!

LAMPI LEGGENDARI

Nel 1899, a Colorado Springs, Nikola Tesla costruisce una strana antenna alta alcune decine di metri e culminante in un globo di ferro. Con questa struttura vuole inviare "onde di elettricità" a grande distanza. Testimoni sostengono di aver visto accendersi 200 lampadine senza collegamento di fili elettrici a 40 km di distanza. Poi descrivono un fenomeno ancora più straordinario: una serie di fulmini esce dal globo di ferro e pian piano si crea un globo elettrico che emette altri lampi per decine di metri. L'area è pervasa da rombi di tuono e l'erba assume un aspetto fosforescente!
Dopo molti anni a Nikola Tesla sarà riconosciuto il merito di aver effettuato le prime trasmissioni radio. In realtà con congegni più modesti Guglielmo Marconi, italiano di mamma irlandese, darà l'avvio alla telegrafia senza fili e aprirà la strada alle moderne telecomunicazioni.

Il successo pratico di un'idea, indipendentemente dalle sue qualità, dipende dalla scelta dei suoi contemporanei. Se è al passo con i tempi, viene rapidamente adottata; in caso contrario, è destinata a vivere come un germoglio che sboccia nella stagione sbagliata.

Nikola Tesla

77 Marconi

IL MIO LAMPO SENZA FILI

Ero poco più di un ragazzino quando dalla casa dei miei genitori vicino a Bologna ho inviato il mio primo messaggio senza fili. Per riceverlo ho usato un semplice dispositivo: il *coherer* ("coesore"), che ha la proprietà di rilevare il passaggio delle onde radio. È un tubicino di vetro dove è stato fatto il vuoto e contenente della limatura metallica. L'ha inventato un mio conterraneo di nome Temistocle Calzecchi Onesti. Altri invece lo attribuiscono al francese Édouard Branly. Comunque è mia la testardaggine di usarlo per ricevere segnali telegrafici in codice Morse.

SI PUÒ FARE!

FATTO!

Abbiamo così raggiunto nella scienza e nell'arte della comunicazione uno stadio che ci consente di trasmettere e ricevere i nostri pensieri in ogni parte del globo.

Guglielmo Marconi

IL COHERER

Inserendolo in un circuito elettrico, il coesore funziona come un interruttore: quando è investito da un treno di onde, il metallo in polvere si aggrega e diventa conduttore. Così si chiude il circuito e si accende una lampadina, oppure suona un campanello. Marconi inviò il suo primo segnale oltre la collina e un colpo di fucile del suo fattore confermò che era arrivato.

È L'ANTENATO DEI TELEFONINI!

Coherer

BZZZ!

IL TELEGRAFO SULLE NAVI

Ho migliorato il mio apparecchio rice-trasmettitore e l'ho brevettato a Londra. Qui ho fondato con i miei zii una società di telecomunicazioni. Ma non ho fatto concorrenza alle altre società telegrafiche di terra, ho invece proposto di installare il telegrafo senza fili sulle navi. L'arrivo e il contenuto di una nave poteva essere così segnalato agli operatori di borsa, alle capitanerie di porto e ai giornali. Ma soprattutto si potevano inviare messaggi di aiuto e salvare vite umane! Il mio telegrafo, installato sul Titanic, ha consentito di salvare dal naufragio più di mille passeggeri. Senza di esso i soccorsi non sarebbero mai arrivati in tempo.

UN COLPO DI FORTUNA

Poi ho cercato di trasmettere messaggi sempre più lontano con antenne altissime e persino aquiloni. E ho fatto una scoperta inaspettata: le onde radio rimbalzano!

Quando raggiungono gli strati alti dell'atmosfera vengono riflesse verso terra e da terra verso il cielo. Le mie onde radio potevano quindi raggiungere tutto il mondo!

78 La valvola termoionica

LA RADIO COME LA INTENDIAMO NOI

È nata grazie a una strana lampadina, inventata da un collaboratore di Marconi, il britannico John Ambrose Fleming, nel 1904. È la valvola termoionica, che permette di "modulare" la frequenza delle onde in partenza e in arrivo. In pratica consente di inviare e ricevere parole e musica via radio. Grazie al lampo di genio del professor Fleming e all'intuizione di Marconi, nell'arco di pochi decenni la radio diventa il mezzo di comunicazione più popolare nel mondo.

LAMPI DI LUCE

Attorno alle immagini in movimento stavano lavorando in tanti. Poi il 28 dicembre 1895, a Parigi, due fratelli aprono le porte del sotterraneo del Grand Cafè. Il loro è un vero lampo di genio...

79 I fratelli Lumière

IL LAMPO ERA NELL'ARIA!

PAROLA DI AUGUSTE

Chi l'avrebbe mai detto, caro Louis: abbiamo inventato la Settima Arte. La magia è così forte che quando abbiamo proiettato l'arrivo di un treno alcuni presenti si sono alzati dalle sedie per sfuggire alla locomotiva che avanzava sullo schermo. In realtà abbiamo messo insieme la nostra passione per la fotografia, la nostra esperienza di fabbricanti di lastre fotografiche e le idee di molti altri inventori. Anzi, Edison in America aveva costruito una macchina che già conteneva tutto il cinema: un ingranaggio che trascinava la pellicola, una lampadina, un motorino elettrico, una batteria ricaricabile e una pellicola che riportava una sequenza di scatti fotografici. Si inseriva una monetina, il motore partiva e si poteva vedere un piccolo film. Ma lo poteva vedere un solo spettatore per volta!

La nostra grande idea è stata una macchina che proietta sul grande schermo, davanti a un pubblico numeroso e pagante! Non lo aveva mai fatto nessuno prima di noi due, fratelli Lumière.

FANTASTICO, LO VOGLIO!

Ecco il kinetoscopio inventato da Edison. Anche papà Lumière ne aveva comprato un esemplare. Si inseriva una monetina e si vedeva danzare una ballerina, un incontro di box, un bacio e così via.

Siamo nati fotografi, figli di un fotografo, ma il cinematografo l'abbiamo inventato noi.
Auguste e Louis Lumière

80 Niépce e Daguerre

La storica proiezione dei fratelli Lumière avviene quasi settanta anni dopo la stampa della prima fotografia. Il lampo di genio era stato di Joseph Nicéphore Niépce. L'aveva ottenuta nel 1826 con una lastra di asfalto diluito con olio di lavanda. Per "impressionare" la lastra era stato necessario esporla alla luce per ben 8 ore. Più rapido si rivelò essere il procedimento introdotto dal suo collaboratore Louis-Jacques-Mandé Daguerre.

Daguerre usava lastre di rame sulle quali era spalmato uno strato di ioduro d'argento, sensibile alla luce. Così per alcuni decenni le fotografie sono state chiamate "dagherrotipi". Poi altri inventori di tutto il mondo hanno trovato materiali e metodi più semplici e rapidi. Ma per molto tempo ancora, per fare una fotografia occorrerà portarsi appresso un piccolo laboratorio di chimica!

Ecco (a sinistra) la prima cinepresa della storia. Ètienne-Jules Marey la usava per fotografare uccelli in volo e animali in corsa per studiarne il movimento. Edison si arrabbiò non poco per il successo dei fratelli Lumière, ma si consolò fondando una delle prime case cinematografiche americane.

Hyatt

Gli elefanti sarebbero estinti da tempo, l'industria del cinema non sarebbe mai nata e molti oggetti non esisterebbero senza il lampo di genio di un tipografo americano, John Wesley Hyatt. Il signor Hyatt ha prodotto il primo materiale plastico della storia.

La plastica consente di realizzare molte cose intelligenti. L'idea cretina è buttarla nella spazzatura.

FAI PRESTO HYATT!

BANG

UN LAMPO SUL BILIARDO

Sì, ho inventato il materiale più diffuso nel vostro tempo. Se la plastica sparisse vi trovereste senza telefonini, senza sedie, senza scarpe e in mutande, anzi senza neppure quelle, perché spesso contengono fibre artificiali, ovvero plastica. Il lampo di genio l'ho avuto quando una fabbrica di biliardi mise in palio un premio favoloso: 10 000 dollari per chi avesse trovato un materiale sostitutivo dell'avorio, sempre più raro e prezioso anche nel mio tempo.

Le palle da biliardo infatti erano ricavate dalle zanne di elefante. Ogni anno migliaia di elefanti erano sacrificati al gioco del biliardo. Avevo sentito parlare di un materiale inventato da un professore inglese di nome Parkes. La sua "parkesina" era usata per fare colletti delle camicie e nulla più. Ho studiato un po' e ho trovato il modo di produrre un materiale simile. L'ho chiamato celluloide, perché contiene cellulosa. Ho intascato il premio e salvato dall'estinzione

gli elefanti. Insomma ho fatto una buona azione. Tra l'altro la cellulosa è un prodotto naturale, tutti i vegetali la contengono. La materia prima non mancherà mai.

AVORIO ARTIFICIALE?

HYATT

GIÀ!

SIAMO PLASTICA DELLA PRIMA ORA!

UN LAMPO MULTIPLO

La cellulosa è un "polimero", cioè una lunga catena formata da tante molecole piccole e uguali, dette "monomeri". Qualcuno troverà il modo di costruire polimeri utilizzando i monomeri ricavati dal petrolio. Da questi nascerà un'infinita quantità di altre materie plastiche con proprietà e usi diversissimi. Nascerà purtroppo anche il problema della loro dispersione e del loro spreco, dovuti più alla stupidità dell'uomo che ai suoi lampi di genio.

82 Baird

C'era il telefono, la radio, il cinema. Mancava la possibilità di trasmettere a distanza immagini in movimento, ovvero la televisione. Ci provano in tanti ma la prima dimostrazione è dello scozzese John Logie Baird nel 1926.

LA PALEOTELEVISIONE

Non posso dire che sia tutta farina del mio sacco, ma il lampo di genio di mettere insieme un disco bucato, cellule fotoelettriche e un po' di elettronica l'ho avuto io. Il congegno assomigliava più ai giradischi che ai televisori degli anni successivi. Non ho neppure usato un tubo catodico. Ma quando i membri della commissione della Royal Institution sono venuti nel mio laboratorio di Soho, a Londra, sono rimasti comunque sorpresi. Hanno visto per la prima volta una persona teletrasmessa dalla stanza accanto. Era un fattorino di passaggio nel mio studio. Apparve e scomparì in un lampo. Si chiamava William Taynton. Da quel giorno alla televisione si apparirà così: anche per caso.

Il sistema elettromeccanico usato da Baird sarà presto abbandonato a favore di telecamere e televisori elettronici. Il primo programma televisivo andrà in onda a Berlino, nel 1936, in occasione delle Olimpiadi di quell'anno.
I primi televisori destinati al pubblico erano – come questo qui sopra – venduti in scatole di montaggio e costavano quanto un'auto di media cilindrata dei giorni nostri.

83 I fratelli Wright

PAROLA DI ORVILLE

Oggi è facile. Salite su un aereo e dopo un attimo vi trovate a volare a più di 8000 metri d'altezza.

Ma poco più di un secolo fa questa sarebbe stata un'ipotesi da fantascienza. Si volava in pallone e anche con il dirigibile, ma sempre grazie a involucri riempiti di gas più leggeri dell'aria. Sollevarsi da terra con un velivolo di metallo, pesante come una nave, era ritenuto una follia. Anche noi abbiamo avuto qualche dubbio, anzi abbiamo rischiato di romperci l'osso del collo più di una volta. In fondo io e mio fratello Wilbur eravamo dei semplici artigiani che costruivano biciclette nel magazzino dietro la casa di papà. Eravamo proprio bravi: abbiamo persino inventato il freno a contro-pedale. Forse anche la vostra bicicletta ne ha uno.
Bene, lo abbiamo inventato noi.

Rispetto al volo avevamo una ferma convinzione: tutti avrebbero potuto volare, come tutti possono andare in bicicletta.

Il mio ultimo volo è stato su un enorme Constellation (Lockheed L-049), che aveva un'apertura d'ali più lunga della distanza che avevo coperto nel mio primo volo.
Orville Wright

DAL DIRE AL FARE

L'idea di partenza dei Wright è che l'aereo debba essere pilotato come una bicicletta, tenuta in equilibrio con continue e impercettibili correzioni del corpo. Nel primo velivolo il pilota è addirittura sdraiato e tutt'uno con la struttura dell'aliante. In pratica i primi aeroplani sono grandi aquiloni biplani dotati di manubrio e di alcuni comandi che deformano l'ala. La storia dell'aviazione è cominciata così, con delle biciclette volanti.

UN LAMPO DI GRANDE "PORTANZA"

Come fa a volare il nostro aereo se pesa quanto una petroliera? I fratelli Wright risolsero il problema pian piano, con una serie di lampi di genio, ma soprattutto… volando.

L'aereo vola perché la pressione che lo sostiene è superiore al suo peso. Questa pressione, chiamata "portanza", dipende da vari fattori come la velocità, l'inclinazione del velivolo e un'opportuna forma delle ali. Sulle ali la "portanza" è semplicemente dovuta alla differente pressione tra il ventre e il dorso. Grazie a questa differenza il nostro aereo viene sostenuto dall'aria sottostante e non cade, nonostante il suo peso.

Una volta che avrete imparato a volare, camminerete sulla terra guardando il cielo, perché è là che siete stati ed è là che vorrete tornare.
Leonardo da Vinci

(84) Von Braun

IO VI MANDO SULLA LUNA

I miei razzi invece non hanno bisogno dell'aria per volare. Anzi volano anche dove l'aria proprio non c'è: nello spazio interstellare. Sono Wernher von Braun e il mio lampo genio l'ho avuto da piccolo. Ero convinto che con un razzo sarei andato colonizzare un pianeta lontano. Ho incendiato mezza casa con un fuoco d'artificio. Invece da grande, durante la Seconda Guerra Mondiale, ho costruito razzi terribili, i V2. Sono serviti a bombardare Londra. Poi nel dopoguerra mi sono riscattato. Negli Stati Uniti ho lavorato per la NASA e persino per il mio amico Walt Disney, per il quale ho progettato la parte di Disneyland dedicata al futuro. Il primo successo è stato lanciare nello spazio i primi satelliti artificiali. Poi con i miei colleghi siamo andati avanti, abbiamo portato l'uomo sulla Luna. Quando sbarcherete su Marte sarà grazie a me e alle mie fantasie da ragazzino.

LAMPI ELETTRONICI

Ci sono macchine per fare i conti e congegni che fanno cose. Ma si può costruire una macchina che impara e risolve i problemi? La risposta è sì.

HO INVENTATO IL COMPUTER!

85 Babbage

Degli uomini politici mi hanno chiesto se inserendo dati sbagliati, un computer sarebbe capace di dare risposte esatte. No comment.

Charles Babbage

Poof Poof

È PORTABILE?

SI POTREBBE USARLO PER PREVEDERE CHI VINCE ALLE CORSE DI CAVALLI!

WOW!

Sono nato a Londra e mi sono laureato a Cambridge nel 1814. Sono padre di otto figli e ho avuto il lampo di genio di progettare il primo computer. Non l'ho costruito interamente. Sarebbe stato un congegno meccanico enorme, largo 30 metri e profondo 10, mosso da un motore a vapore, come quelli delle locomotive. Sarebbe stata la prima calcolatrice programmabile della storia: da una parte si inserivano le istruzioni sotto forma di schede perforate, da un'altra si inserivano i dati, da una terza uscivano i risultati. Chi ha pensato per prima che avrebbe potuto essere usata anche per scopi diversi da quello di fare calcoli matematici è stata la mia amica Ada Lovelace, figlia di Lord Byron.

86 Hollerit

Sono nato nel 1860, a Buffalo, non lontano dalle cascate del Niagara, negli Stati Uniti. Sono figlio di immigrati tedeschi. Ho studiato e insegnato ingegneria, ma il lampo di genio l'ho avuto quando ho visto il controllore bucarmi il biglietto mentre ero su un treno che mi portava a Washington: click! Dovevo infatti presentare un progetto per elaborare i dati del censimento degli Stati Uniti del 1890. Il biglietto bucato mi diede l'idea di usare schede perforate e una macchina in grado di conteggiare i... buchi. Ogni buco o non buco poteva rappresentare una informazione: "maschio o femmina",

"sposato o nubile", "studente o lavoratore", eccetera. Quando si metteva una delle mie schede nella macchina, alcuni circuiti elettrici si chiudevano e i contatori conteggiavano in un attimo tutte le informazioni contenute nella scheda.
Il mio sistema era pratico e rapido e vinse il concorso. Così lavorai per il censimento e con il denaro guadagnato fondai una mia azienda, la "Tabulating Machine Company" che, dopo varie fusioni e cambiamenti di nome, diventò nel 1924 la "International Business Machines Corporation" (IBM).

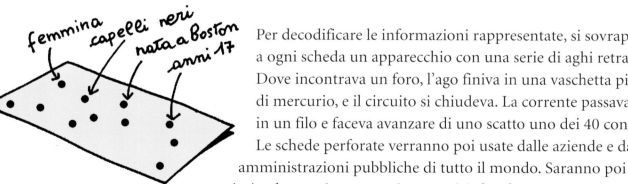

Per decodificare le informazioni rappresentate, si sovrapponeva a ogni scheda un apparecchio con una serie di aghi retrattili. Dove incontrava un foro, l'ago finiva in una vaschetta piena di mercurio, e il circuito si chiudeva. La corrente passava in un filo e faceva avanzare di uno scatto uno dei 40 contatori. Le schede perforate verranno poi usate dalle aziende e dalle amministrazioni pubbliche di tutto il mondo. Saranno poi sostituite da nastri e supporti magnetici che al posto dei buchi riporteranno cariche elettriche negative e positive. Ma il principio è lo stesso inventato da Hollerit. Le macchine però non saranno più meccaniche, ma elettroniche. Le prime sono enormi, come dinosauri. Contengono migliaia di valvole come quelle che facevano funzionare le radio.

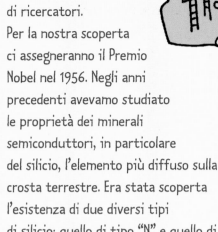

87 Il transistor

LA NUOVA ETÀ DELLA PIETRA

Il lampo di genio l'abbiamo avuto in tre. Ovvero siamo stati noi tre a realizzare il primo transistor della storia: io, William Shockley, e i miei colleghi Bardeen e Brattain. Era il 1947 e lo strano oggetto era frutto di una lunga ricerca condotta presso i Bell Laboratories. L'industria telefonica fondata da Alexander Bell era diventata con il tempo una delle più potenti multinazionali del pianeta. Presso i suoi laboratori lavoravano centinaia di ricercatori.

Per la nostra scoperta ci assegneranno il Premio Nobel nel 1956. Negli anni precedenti avevamo studiato le proprietà dei minerali semiconduttori, in particolare del silicio, l'elemento più diffuso sulla crosta terrestre. Era stata scoperta l'esistenza di due diversi tipi di silicio: quello di tipo "N" e quello di tipo "P", diversi per certe impurità contenute nel reticolo cristallino. Mi resi subito conto che nei circuiti elettronici era possibile usare i semiconduttori al posto delle voluminose valvole termoioniche. Il nostro prototipo era un dispositivo completamente nuovo, composto da un imbarazzante intreccio di fili incollato malamente su un supporto di plexiglas. Era orrendo ma funzionava bene come amplificatore. Il nome transistor (combinazione di TRANSconductance varISTOR) fu suggerito da un collega. Quando lo presentammo nessuno immaginava di avere sotto gli occhi un'invenzione destinata a cambiare non solo l'elettronica, ma la storia dell'umanità.

il primo transistor *i successivi*

I tre inventori presto riuscirono a fare diventare la loro invenzione piccola come la capocchia di un fiammifero. La inserirono nei telefoni della Bell, poi nelle radioline e nei computer. Poi i transistor diventarono sempre più piccoli, fino ad esser stampati a centinaia sullo stesso supporto.

COMPUTER PER FORMICHE

Nel 1971 due ricercatori (l'americano Ted Hoff e l'italiano Federico Faggin) ottengono il primo "microprocessore", ovvero un intero piccolo computer stampato su un singolo frammento di silicio. Si chiamerà INTEL 4004. È un "chip" di silicio così piccolo che può essere preso in bocca da una formica.

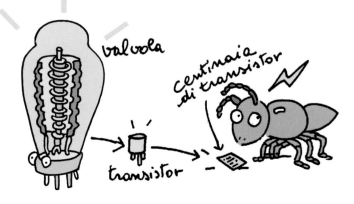

88 Steve Jobs e Bill Gates

I microprocessori di silicio consentono di costruire computer più piccoli e poco costosi. Fino a quel momento erano usati solo da grandi aziende e da enti governativi. Chi intravede il futuro è un giovanotto di Santa Clara in California, città non lontana dalla regione che prederà il nome di Silicon Valley.

PAROLA DI STEVE

Come ho cominciato? A 17 anni, ho alzato il telefono e ho chiesto di parlare al maggior produttore di computer della regione, il signor Bill Hewlett, della Hewlett-Packard. Mi ascoltò con pazienza e mi propose un lavoretto per l'estate. Per guadagnarmi da vivere da studente ho fatto di tutto: ho programmato videogiochi e raccolto bottiglie a rendere. Mi piaceva viaggiare e sono stato per qualche tempo in India. Poi nel garage di mio padre con l'aiuto del mio amico Steve Wozniak abbiamo costruito il nostro primo computer "casalingo". Da quel momento sono stato sempre più avanti e più veloce delle grandi aziende di elettronica, fino a diventare più grande di loro. Solo il mio coetaneo Bill Gates mi ha dato filo da torcere. Se oggi avete un computer o uno smartphone, se chattate, scrivete mail o usate internet, bene, è grazie a noi e ai nostri lampi di genio.

> Il 25 ottobre 2012 è venduto all'asta per 500 000 euro uno dei primi computer prodotti da Steve Jobs. La tastiera era di legno e si collegava al televisore.

Steve Jobs ha lasciato questo mondo a soli 56 anni, il 5 ottobre 2011. Per ricordare lui e i suoi lampi di genio, i suoi collaboratori hanno creato un programma che ragiona, parla e risponde come Steve Jobs. Tre anni prima della sua scomparsa, il suo maggiore antagonista, Bill Gates, ha dato le dimissioni da amministratore delegato della sua azienda, la Microsoft, e da allora si dedica alla ricerca di sistemi e tecnologie in grado di aiutare i più sfortunati.

 **Internet**

GINEVRA, 13 MARZO 1989

Mi chiamo Tim Berners-Lee. Sono inglese e lavoro al CERN (Organizzazione Europea per la Ricerca Nucleare). Sono laureato in fisica e sono qui grazie a una borsa di studio. Ho proposto al mio capo un sistema che consente scambi veloci di informazioni tra gli scienziati che lavorano nei diversi edifici del centro. Si tratta di un "ipertesto" che, inserito in un computer, può essere visto da tutti gli altri computer collegati in rete. Il mio capo ha letto la proposta. L'ha definita un po' vaga ma interessante. In pratica ci ha dato il via libera. Così insieme al mio collega Robert Cailliau abbiamo cominciato a sviluppare il sistema.

UN'IDEA-REGALO PER L'UMANITÀ

Due anni dopo, tutti i collaboratori del CERN hanno a disposizione un primo "sito" dove possono inserire i risultati delle loro ricerche (ma anche qualche curiosità) e cercare quelle degli altri. È il primo sito web al mondo: info.cern.ch. Negli anni successivi altre reti di centri di ricerca, università e singoli scienziati si collegano alla rete del CERN, che diventa così una rete più grande, condivisa da centri sparsi in altri paesi. Nel 1993 nasce il primo browser per cercare gli argomenti e le pagine su Internet.

Nello stesso anno il CERN rinuncia ai diritti d'autore su questa straordinaria invenzione e mette a disposizione del mondo tutti i protocolli del software creato da Tim Berners-Lee e i suoi colleghi. Quell'anno i siti erano 130, saranno 35 milioni nel 2003, 180 milioni nel 2008, 550 milioni nel 2012, quando gli utenti di Internet supereranno i 2 miliardi.

LA NONNA DI INTERNET

Si chiamava Arpanet ed è stata realizzata come idea di rete di computer negli Stati Uniti. Risale agli anni Sessanta, quando USA e URSS si fronteggiavano rischiando di scatenare una guerra nucleare. Per evitare che, colpito un nodo, le altre basi militari rimanessero prive dei suoi dati, era stata creata una rete dove tutte le informazioni erano condivise. Nella rete ARPANET due utenti si sono scambiati le prime mail della storia.

Internet sta per "INTERconnected computer NETwork". Tim Berners-Lee l'ha resa realizzabile a livello globale e ha inventato il termine World Wide Web ("rete ampia quanto il mondo"). Nata per un gruppo limitato di scienziati, ora è il mezzo più diffuso e pratico per comunicare, trovare notizie, leggere news, contattare gli amici, fare i compiti, ricerche e quant'altro.

GENI E LAMPI DI GENIO

Da millenni gli agricoltori selezionano piante e animali per ottenere specie più utili. Chi scopre le leggi naturali che lo consentono è figlio di un agricoltore, monaco in un convento molto speciale.

90 Mendel

PAROLA D'ABATE

Molti avevano cercato di capire in che modo certe caratteristiche si trasmettono dai genitori ai figli, come il colore degli occhi o quello dei capelli. Per chi allevava animali domestici era un mistero come e perché certi caratteri scompaiono e riappaiono generazione dopo generazione. Chi scopre le leggi che regolano questa trasmissione è un monaco del convento agostiniano di Brno.

L'idea di ereditarietà è abbastanza intuitiva. "Guarda come somiglia a papà. A mamma! Al nonno!" Così dicono i parenti attorno al neonato.

Gregor Mendel

Nel monastero di San Tommaso non si pregava soltanto. Assomigliava a un piccolo centro di ricerca per il miglioramento delle piante coltivate. C'era un laboratorio e una fornitissima biblioteca. Il convento mi ha dato la possibilità di continuare gli studi e – da giovane monaco – di frequentare l'università di Vienna. Qui ho avuto alcuni notevoli professori. Uno di questi, Andreas von Ettingshausen, mi ha spiegato a che cosa serve la statistica. È qui che ho avuto il mio lampo di genio.

PAPÀ!

FIGLIO MIO!

LE LEGGI NATURALI SI SCOPRONO GUARDANDO I NUMERI!

28 000 PIANTE

Nell'orto del convento ho cominciato ad allevare e incrociare tra loro varietà "pure" di piselli, differenti per precisi caratteri. Varietà alte o basse, semi lisci o rugosi, gialli o verdi... Ho incrociato piselli per più di sette anni, coltivando più di 28 000 piante. Alla fine ho fatto i conti e ho scoperto che i caratteri si distribuiscono nella discendenza sempre nelle stesse immutabili percentuali. Ho così potuto dimostrare che dipendono da entità ben definite e indipendenti che oggi sono chiamate "geni". Zitto zitto, zappettando l'orto ho scoperto le leggi dell'ereditarietà.

Il carattere seme verde viene detto "recessivo". Il carattere seme giallo viene detto "dominante". In questa prima generazione il carattere verde sembra scomparso. È la legge della "dominanza".
Se si incrociano tra loro le piante ibride ottenute, le loro figlie danno:
- 1/4 di semi verdi (puri)
- 2/4 di semi gialli (ibridi)
- 1/4 di semi gialli (puri).

Succede sempre così.
Il carattere "verde" riappare sempre nella stessa percentuale, il 25%. Da qui la seconda legge, che Mendel chiama "della disgiunzione".

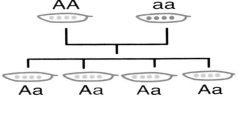

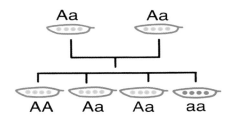

HUGO DE VRIES

L'olandese Hugo de Vries è uno dei tre "riscopritori" delle leggi di Mendel. Il valore del lavoro di Gregorio infatti sarà riconosciuto solo 16 anni dopo la sua morte. De Vries scoprirà anche che i geni sono oggetto di mutazioni, proprietà che insieme alla selezione naturale spiega e completa il meccanismo dell'evoluzione.

91 I cromosomi

Negli anni successivi alla riscoperta delle leggi di Mendel diventa chiaro che i geni sono oggetti concreti situati nei cromosomi, "bastoncini" presenti nelle cellule di tutti gli esseri viventi. Chi li localizza per primo è Thomas Hunt Morgan, che ha il lampo di genio di usare per i suoi studi un insetto molto diffuso: il moscerino della frutta. Ha caratteristiche molto utili, infatti si riproduce in pochi giorni e i cromosomi di alcune sue cellule sono enormi. Morgan così ottiene un risultato straordinario: riesce ad abbozzare la prima mappa genetica di un essere vivente.

DICONO CHE HO I CROMOSOMI INGROSSATI!

I GENI SONO QUI!

92 Il DNA

IL LAMPO DI ROSALIND

I biochimici ormai conoscono la sostanza di cui sono fatti i cromosomi e i geni: si tratta di un acido organico, l'acido deossiribonucleico, ovvero il DNA. Lo scienziato austriaco Erwin Chargaff ha anche notato che contiene sempre le stesse quattro "basi azotate": adenina, timina, citosina e guanina. Sono presenti in quantità diverse in ogni specie, ma nessuno immagina come il DNA possa costruire e far funzionare un'intera creatura vivente, e contenere un insieme così grande e complesso di caratteri ereditari. Il segreto è nella sua particolare forma spaziale. Chi ha il lampo di genio di usare i raggi X per capire come è fatto è una giovane ricercatrice inglese, Rosalind Franklin. Con i raggi X Rosalind scatta una serie di foto, una delle quali, la "foto 51", è destinata a entrare nella storia.

IL DNA LA FAMOSA FOTO N° 51

Devo riuscire a pensare in 3D.
Rosalind Franklin

93 Watson e Crick

Una foto ai raggi X del DNA dice ben poco ai non addetti ai lavori. Ma quando a un convegno internazionale Maurice Wilkins mi ha mostrato una foto scattata da Rosalind Franklin, sono sobbalzato. Mi chiamo James Watson e avevo già studiato con i raggi X altre grandi molecole. Nella foto ho riconosciuto una forma che mi era familiare. Mi ha fatto sperare che forse avrei potuto decifrare il mistero che nascondeva il DNA.

All'Università di Cambridge con l'amico e collega Francis Crick, fisico per formazione e biologo molecolare per vocazione, abbiamo deciso di studiare il DNA, anche se non faceva parte del nostro programma di lavoro. Dopo vari tentativi e grazie

a un bozzetto di Odile Speed, pittrice e moglie di Crick, siamo riusciti a costruire un modello tridimensionale di DNA: era una doppia elica!

Nell'aprile 1953 il lavoro di Watson e Crick è pubblicato sulla rivista *Nature* insieme ad altri articoli di supporto, tra questi quelli di Rosalind Franklin e del suo collega Maurice Wilkins. L'articolo suggerisce anche il modo in cui il DNA si duplica: la doppia elica infatti si apre come una cerniera lampo, attira le molecole che le servono e forma una catena complementare. È il meccanismo che moltiplica e conserva la vita sul nostro pianeta!

Nel 1962, Watson, Crick e Wilkins riceveranno il premio Nobel per la medicina. Rosalind, che aveva dato inizio alla ricerca e alla scoperta più straordinaria della storia naturale, è scomparsa tre anni prima per un tumore provocato probabilmente dalle alte dosi di raggi X a cui si era esposta nel corso dei suoi esperimenti.

94 Sanger

Negli anni successivi alla scoperta del DNA, Francis Crick chiarisce il meccanismo che consente alle cellule di usare le informazioni contenute nei geni per produrre tutti i componenti di un individuo completo. Viene inoltre scoperto come funziona il codice di quattro lettere (adenina, timina, citosina e guanina) che conserva e trasmette le informazioni necessarie per costruire una proteina.

Nel 1990 James Watson insieme ad altri genetisti di tutto il mondo dà l'avvio al "Progetto Genoma Umano", che mira a disegnare la mappa di tutti i geni della nostra specie, *Homo sapiens*. La ricerca ha identificato circa 24 000 geni, scoprendo che i cromosomi contengono anche parti di DNA delle quali non si conosce ancora il ruolo esatto. Chi ha consentito di realizzare questo ambizioso progetto lavorava in un piccolo laboratorio non lontano da quello di Crick.

> Sul DNA è scritta la storia naturale della nostra specie. E abbiamo da poco imparato a leggerla.

L'UOMO CHE LEGGEVA I GENI

Sono Frederick Sanger, l'uomo che ha consentito di identificare i geni dell'uomo e di molte altre specie animali e vegetali. Sono un biochimico inglese e sono stato insignito – giustamente – di ben due Premi Nobel. A Cambridge infatti ho inventato il procedimento per "leggere" il DNA. Avevo cominciato determinando la sequenza degli aminoacidi che formano un ormone,

l'insulina, scoperta che mi aveva fatto guadagnare il primo Premio Nobel per la chimica, nel 1958. Nel 1975 ho poi sviluppato un mio metodo per identificare le sequenze di "basi" nel DNA. Con la mia tecnica ho "sequenziato" un piccolo genoma, il DNA di un virus, vincendo così, nel 1980, il mio secondo Premio Nobel. In pratica ho aperto la strada

all'ingegneria genetica e a un futuro che Gregor Mendel non si sarebbe mai immaginato.

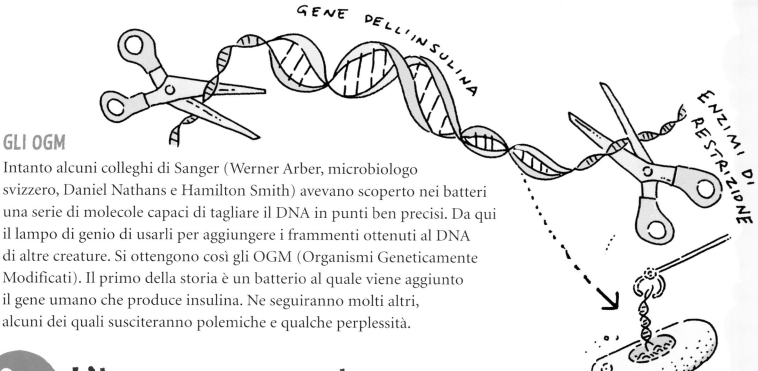

GLI OGM

Intanto alcuni colleghi di Sanger (Werner Arber, microbiologo svizzero, Daniel Nathans e Hamilton Smith) avevano scoperto nei batteri una serie di molecole capaci di tagliare il DNA in punti ben precisi. Da qui il lampo di genio di usarli per aggiungere i frammenti ottenuti al DNA di altre creature. Si ottengono così gli OGM (Organismi Geneticamente Modificati). Il primo della storia è un batterio al quale viene aggiunto il gene umano che produce insulina. Ne seguiranno molti altri, alcuni dei quali susciteranno polemiche e qualche perplessità.

95 L'impronta genetica

I nostri geni sono uguali in tutta la nostra specie. Ci raccontano che siamo imparentati con tutti gli altri esseri viventi, dai vermi anellidi allo scimpanzé. Ma alcuni pezzettini del nostro DNA (apparentemente inutili) sono unici e inconfondibili.

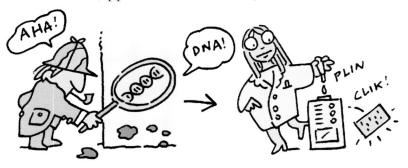

Basandomi su questa osservazione, io, Alec Jeffreys, ho messo a punto un metodo per evidenziare queste piccole e personalissime parti di DNA, anche in pochissimo materiale biologico. Il mio metodo si affianca a quello del confronto delle impronte digitali. È usato dalle polizie di tutto il mondo per identificare i colpevoli confrontando il DNA degli indiziati con i reperti biologici presenti sulla scena del crimine.

Il primo criminale identificato con questo metodo è stato un assassino di ragazzine, in Inghilterra, nel 1988. È stato poi usato anche per identificare i poveri resti delle vittime di gravi incidenti.

ALEC JEFFREYS

LAMPI DI UNA SPECIE PARTICOLARE

La materia è fatta di atomi, ma gli atomi sono oggetti molto più complessi di quanto si credeva. Chi apre la strada alla loro comprensione è una donna straordinaria, polacca di nascita e francese d'adozione.

96 Curie

IL MIO LAMPO

Ho cominciato studiando lo strano fenomeno scoperto dal mio insegnante, il professor Henri Becquerel. Aveva lasciato in un cassetto alcune lastre fotografiche insieme a un minerale d'uranio e queste erano rimaste...

impressionate! Così, per caso, ha scoperto che l'uranio emette raggi simili ai raggi X. Un bel colpo di fortuna che gli farà vincere il Premio Nobel. Sono andata avanti e ho scoperto che il minerale conteneva anche due elementi chimici sconosciuti con le stesse proprietà: il polonio, al quale ho dato il nome del mio paese, la Polonia, e il radio, che ho chiamato così perché emette dei raggi straordinari. È il più radioattivo tra tutti gli elementi. In effetti, il termine radioattività l'ho inventato io...

Nessuno allora sapeva quanto sia pericolosa. Pensate che le ballerine delle Folies Bergère, il più famoso corpo di ballo di Parigi, volevano che inventassi una crema per farle diventare radioattive e... luminescenti.

IL CASO FAVORISCE LA MENTE PREPARATA!

BECQUEREL

Un amico e collega di Marie, Ernest Rutherford, definirà la radioattività: è una disgregazione spontanea degli atomi, che "decadono" emettendo particelle e radiazioni. Con Marie, l'atomo cessa di essere "indivisibile". La "materia" che tocchiamo, pesiamo e respiriamo con lei comincia a essere qualcosa di meno… statico.
Si può addirittura trasmutare un elemento in un altro – sogno degli antichi alchimisti – togliendo o aggiungendo particelle.

POLONIO
RADIO

97 Einstein

PAROLA DI ALBERT

La mia grande idea? È la teoria della relatività, dove ho detto e dimostrato che il tempo è relativo a dove si è e a cosa si fa, ovvero non è uguale in tutto l'Universo. Ci sono luoghi dove il tempo è addirittura fermo. In un buco nero, per esempio, un orologio non raggiungerebbe mai la mezzanotte!

Il tempo rallenta anche con la velocità. Il tempo trascorre più lentamente per l'equipaggio dell'astronave di Star Trek che per gli abitanti del pianeta Terra. Ma nella mia teoria c'è anche una formula semplice e straordinaria che stravolge il modo di concepire il mondo che ci circonda: $E=mc^2$.

E sta per energia, **m** sta per massa, **c** è la velocità della luce (300 000 km/s), ovvero un numero grandissimo che qui è elevato al quadrato.

Questa formula proclama l'equivalenza tra materia ed energia. Vuol dire che tutto ciò che è materia si può trasformare in energia e viceversa! Anzi una piccola quantità di materia si può trasformare in una enorme quantità di energia. La grande idea di Einstein sulla relatività del tempo ha fatto immaginare la possibilità di viaggi nel passato e nel futuro. L'idea di equivalenza tra massa ed energia ha dato inizio a una nuova concezione della materia, dove anche le particelle più piccole si rivelano essere "pacchetti" di energia.

98 Fermi

IL LAMPO ATOMICO

Presi una decisione improvvisa, un lampo: all'interno del congegno che avevo costruito per sparare neutroni contro i miei atomi-bersaglio, invece del solito pezzetto di piombo inserii un mattoncino di banalissima paraffina. Non so neppure perché. Ma accadde una strana cosa: i neutroni rallentavano. Queste particelle erano emesse da un frammento di radio. Rallentando i neutroni, le collisioni erano più frequenti e i risultati più soddisfacenti. Poi quando bombardai l'uranio accadde un fatto straordinario, i suoi atomi si frammentarono in atomi più piccoli con un notevole aumento della radioattività. Qualcuno dirà persino che avevamo scoperto dei nuovi elementi! Invece avevo dato l'avvio alla prima reazione a catena della storia.

Tutto questo avvenne nel nostro piccolo laboratorio in via Panisperna, a Roma. Oltre alla paraffina usammo anche l'acqua della fontana del giardino, con gran disagio dei nostri pesci rossi.

Enrico Fermi

Nel 1938 Fermi è invitato a Stoccolma per ricevere il Premio Nobel. Non tornerà in Italia, dove sono state promulgate una serie di leggi razziali e la guerra sta diventando imminente. Accetterà un lavoro alla Columbia University e chiederà la cittadinanza statunitense.

Tre anni dopo sarà convocato a lavorare al "Progetto Manhattan" diretto da Robert Oppenheimer. Qui, nei laboratori di Los Alamos, insieme ad altri colleghi costruirà la prima bomba atomica. La guerra e la pace non saranno più come prima.

In realtà Enrico Fermi è stimato da tutti i suoi colleghi per aver realizzato molte altre cose, come la prima pila atomica, e per aver scoperto una legge della fisica quantistica. A tutta una classe di particelle elementari è stato persino dato il suo nome: "fermioni".

I fermioni si contrappongono a una seconda classe di particelle, i "bosoni", che prendono il nome da un altro fisico, l'indiano Satyendra Nath Bose.

99 Higgs

LA PARTICELLA DI DIO

Detesto sentirla chiamare così.
In fondo è solo un "bosone",
un piccolissimo "quanto", ovvero un
pacchetto di energia, come il fotone.
Ho immaginato la sua esistenza
nel lontano 1964, mentre facevo una
passeggiata su una collina scozzese.
In tanti lo hanno cercato, perché
avrebbe spiegato molte cose.
Finalmente il 4 luglio 2012 il CERN
ha annunciato la sua "cattura"
e ho avuto un tuffo al cuore. Questa
particella ha la proprietà di dare
massa alle altre particelle.

UNA MACCHINA STRAORDINARIA

Se il mondo esiste, se possiamo toccarlo, pesarlo o
morsicarlo è grazie al bosone di Higgs. Per trovarlo è stata
usata la macchina più grande mai costruita dall'uomo:
l'acceleratore di particelle realizzato vicino a Ginevra.
L'anello ha un diametro di 27 km! Fa correre e scontrare
le particelle per ricostruire i meccanismi che hanno
creato l'Universo dopo il Big Bang.

UN LAMPO SULL'UNIVERSO

Il bosone di Higgs cambierà
il mondo? Forse sì. Forse l'ha
già cambiato. Cercandolo
gli scienziati del CERN hanno
inventato mille altre cose:
macchine a positroni per la
diagnosi dei tumori, Internet,
materiali superconduttori,
computer ultraveloci e così
via. I lampi di genio
funzionano così.

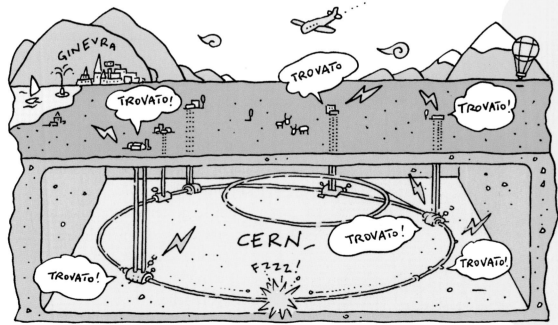

100 Nobel

IL LAMPO DEI LAMPI

Ero diventato uno degli uomini più ricchi del mondo. Questo grazie alla mia invenzione: la dinamite! Non era stato facile: si trattava di rendere sicura e maneggevole la nitroglicerina, un liquido instabile che scoppia al minimo urto. La mia famiglia ne sapeva qualcosa. Il nostro laboratorio era esploso uccidendo mio fratello e quattro operai. Infine ho trovato la soluzione: ho miscelato la nitroglicerina con delle sostanze assorbenti e ho cominciato a produrre candelotti che esplodono solo se innescati da un detonatore.

Pensavo che un esplosivo così potente e micidiale avrebbe dissuaso chiunque a usarlo in guerra. Quanto mi sbagliavo! Nel giro di pochi anni ho visto moltiplicarsi armi ed esplosivi, tutti impiegati in guerre e massacri. È stato questo a farmi prendere la decisione di lasciare il mio patrimonio a chi lavora per la pace e il benessere dell'umanità!

Se hai mille idee e soltanto una risulta essere buona, sii soddisfatto.
Alfred Nobel

DEVO FARE QUALCOSA! TUTTI DOBBIAMO FARE QUALCOSA!

LE MIE ULTIME PAROLE

Io, Alfred Bernhard Nobel, dichiaro qui, dopo attenta riflessione, che queste sono le mie ultime volontà: la totalità del mio residuo patrimonio realizzabile dovrà essere utilizzata nel modo seguente: il capitale, dai miei esecutori testamentari impiegato in sicuri investimenti, dovrà costituire un

fondo i cui interessi si distribuiranno annualmente in forma di premio a coloro che, durante l'anno precedente, più abbiano contribuito al benessere dell'umanità.
Parigi, 27 novembre 1895

IL PREMIO DI NOBEL

Dal 1901 gli interessi maturati ogni anno sull'immenso patrimonio di Alfred Nobel sono divisi in cinque parti uguali. La somma è cresciuta notevolmente ma non è il denaro a rendere il Premio così ambito, bensì il prestigio che ne deriva. Nel corso di un secolo lo hanno ricevuto persone straordinarie.

VALGO MOLTO PIÙ DELL'ORO!

ECCO CHI MERITA I PREMI:

1. Chi ha fatto la scoperta più importante nel campo della fisica.
2. Chi ha fatto la scoperta più importante nell'ambito della chimica.
3. Chi ha fatto la maggior scoperta nel campo della medicina.
4. Chi, nell'ambito della letteratura, abbia prodotto il lavoro di tendenza idealistica più notevole.
5. La persona che più si sia prodigata ai fini della fraternità tra le nazioni, per l'abolizione o la riduzione di eserciti permanenti e per la formazione e l'incremento di congressi per la pace.

COME NOI!

I premi per la fisica e per la chimica sono assegnati dall'Accademia Svedese delle Scienze; quello per la fisiologia o medicina dal Karolinska Institutet di Stoccolma; quello per la letteratura dall'Accademia di Stoccolma, e quello per i campioni della pace da una commissione eletta dal Parlamento norvegese.
I primi quattro sono consegnati dal re di Svezia a Stoccolma, mentre il Nobel per la Pace viene consegnato a Oslo dal re di Norvegia.

Nella foto in alto, Rita Levi Montalcini riceve il Premio Nobel per la medicina nel 1986. Sotto, la cerimonia di premiazione nel municipio di Stoccolma.